PARTAGER SA VIE

Manuel du participant

*Une formation pour aider les chrétiens
à partager leurs vies avec les musulmans*

Bert de Ruiter

« Sharing Lives » fait partie d'Opération Mobilisation.
http://www.sharinglives.eu

En collaboration avec Agape Mosaïque de Campus pour Christ.

© Bert de Ruiter, 2016

Information bibliographique de la Deutsche Nationalbibliothek
La Deutsche Nationalbibliothek a répertorié cette publication dans la Deutsche Nationalbibliografie ; les données bibliographiques détaillées peuvent être consultées sur Internet à l'adresse http://dnb.dnb.de.

ISBN 978-3-95776-208-5 (VTR)
ISBN 978-3-902669-32-2 (OM)

VTR Publications, Gogolstr. 33, 90475 Nürnberg, Allemagne
http://www.vtr-online.com

Les coordonnées de votre bureau OM local sont disponibles à l'adresse suivante : http://www.om.org

Toutes les citations bibliques sont issues de la traduction *Nouvelle Bible Segond* (2002).

INTRODUCTION PARTAGER SA VIE

INTRODUCTION

Dans toute l'Europe, chrétiens et musulmans se côtoient au quotidien ; ils se croisent dans les rues, prennent les mêmes bus, vivent dans les mêmes immeubles, ils partagent les mêmes bureaux et salles de classe, mais malheureusement, ils ne se connaissent pas.

Pourquoi les chrétiens restent-ils dans leur coin ? Qu'est-ce qui les empêche d'aller vers les musulmans ? Pourquoi s'envoler à l'autre bout du monde pour aller à leur rencontre, alors qu'il suffit simplement de traverser la rue ? Serait-ce le manque d'information sur le sujet ? Compte tenu du nombre de livres traitant de l'islam, et des nombreux enseignements proposés à ce sujet, je ne pense pas.

L'islam fait la une des médias, et de nombreux chrétiens évoquent ces musulmans qui brûlent des églises, persécutent les chrétiens, détruisent des tours avec des avions et enlèvent des personnes dans différentes régions du monde. Pendant longtemps, ces événements paraissaient lointains, puis, des musulmans ont fait exploser des trains en Europe, on a assisté au meurtre d'un producteur de télévision hollandais par un Marocain à Amsterdam... Certains chrétiens mettent aussi en avant le fait que des musulmans rejettent les principes et valeurs européennes, pour pratiquer leur propre loi (Sharia) dans les pays du vieux continent où ils sont venus s'installer. Des études ont montré que le principal facteur empêchant les chrétiens d'entrer en relation avec les musulmans, est la peur.

La formation *Partager sa vie* a été élaborée pour aider les chrétiens d'Europe à surmonter ce comportement négatif à l'égard de l'islam et des musulmans, qu'il s'agisse de la peur, des préjugés ou encore de la méfiance. Cette formation vise à aider les chrétiens à s'adresser aux musulmans en étant animés par la grâce de Dieu, et de partager leurs vies avec eux.

Le nom de cette formation est inspiré de la première lettre aux Thessaloniciens 2:8, où l'apôtre Paul écrit : « *Nous aurions voulu, dans notre tendresse pour vous, vous donner non seulement la bonne nouvelle de Dieu, mais encore notre propre vie, tant vous nous étiez devenus chers. »*

Ce verset donne tout son sens au fait d'*être* un témoin : le partage de l'*Evangile* et le partage de nos *vies* vont main dans la main.

Le principal objectif de cette formation est d'aider le chrétien à changer son comportement envers l'islam et les musulmans, de remplacer la peur par de la grâce, et de construire de véritables relations avec les musulmans autour de lui, afin d'être un témoin et de partager la Bonne Nouvelle de Jésus Christ.

Pour atteindre cet objectif, cette formation propose cinq étapes :

Leçon 1 : Notre façon de voir l'islam et les musulmans
Leçon 2 : Développer une attitude de grâce
Leçon 3 : Comprendre les musulmans
Leçon 4 : Rencontrer les musulmans
Leçon 5 : Construire des relations durables

En plus de ce Manuel du Participant, un guide pour le formateur et des supports supplémentaires sont disponibles (présentations PowerPoint, clips vidéo etc.), ainsi que de nombreuses autres ressources sur le site www.sharinglives.eu.

Dr Bert de Ruiter
Amsterdam, novembre 2015

PREMIÈRE LEÇON   PARTAGER SA VIE

PREMIÈRE LEÇON : NOTRE FAÇON DE VOIR L'ISLAM

Objectif : Permettre aux participants de réfléchir à leur attitude envers l'islam et les musulmans d'une perspective biblique.

> Répondez aux questions suivantes :
>
> Quels mots, images, pensées vous viennent à l'esprit quand vous pensez à l'islam et aux musulmans ?
> Complétez la phrase suivante :
> « Concernant l'islam, je pense que dans 20 ans… »
> Complétez la phrase suivante :
> « Concernant l'islam, j'aimerais que… »
> Discutez de vos réponses en groupe.

1   L'appel de Dieu

Dans Matthieu 28.18-20 le Seigneur Jésus-Christ ressuscité dit à ses disciples :

« Jésus s'approcha et leur dit : Toute autorité m'a été donnée dans le ciel et sur la terre. Allez, faites des gens de toutes les nations des disciples, baptisez-les pour le nom du Père, du Fils et de l'Esprit saint, et enseignez-leur à garder tout ce que je vous ai commandé. Quant à moi, je suis avec vous tous les jours, jusqu'à la fin du monde. »

Cet ordre de mission est toujours d'actualité. Le Seigneur Jésus-Christ a encore et toujours le désir que tous les peuples de la terre deviennent Ses disciples, et cela inclut les musulmans de nos pays, villes et quartiers. Le Seigneur de l'Église nous appelle à faire des nations Ses disciples.

PARTAGER SA VIE — PREMIÈRE LEÇON

A travers l'Histoire, Il a toujours utilisé des individus comme vous et moi pour en attirer d'autres à Lui. Parfois, Il a même utilisé des personnes qui n'étaient pas forcément très disposées, comme nous allons le voir avec la vie de Jonas.

2   La réponse de Jonas à l'appel de Dieu

« La parole du Seigneur parvint à Jonas, fils d'Amittaï : Lève-toi, va à Ninive, la grande ville, et fais une proclamation contre elle, car le mal qu'elle a fait est monté jusqu'à moi. Alors Jonas voulut s'enfuir à Tarsis pour échapper au Seigneur. Il descendit à Jaffa et trouva un bateau qui allait à Tarsis ; il paya le prix du transport et embarqua avec l'équipage pour aller à Tarsis et échapper ainsi au Seigneur. » (Jonas 1.1-3)

Le livre de Jonas nous parle de la compassion de Dieu pour le monde, et même pour les ennemis d'Israël. Dieu connaissait les habitants de Ninive et le péché qu'ils avaient commis. Ils méritaient Son jugement et Son châtiment. Mais au lieu de les punir, Il a voulu leur donner la possibilité de se repentir, afin qu'Il puisse leur pardonner. En effet, Dieu prend plus de plaisir à pardonner qu'à punir.

Il veut utiliser Ses enfants pour accomplir Son plan pour le monde. Dans cette histoire par exemple, Dieu veut utiliser Jonas à Ninive, mais Jonas s'est montré réticent.

Afin de comprendre l'appel de Dieu adressé à Jonas, il faudrait d'abord comprendre le contexte de Ninive.

a   Ninive et l'Assyrie

Genèse 10.8-11 nous dit que Ninive a été construite par Nimrod, l'un des premiers héros de guerre sur terre. Au temps de Jonas, Ninive était la capitale de l'empire assyrien. Ce royaume se trouvait entre les rivières du Tigre et de l'Euphrate et dominait le monde antique du IXe siècle au VIIe siècle av. J.C. Cet empire avait une des meilleures armées et il s'agissait également de la civilisation la plus sanguinaire et cruelle connue jusqu'alors.

PREMIÈRE LEÇON — PARTAGER SA VIE

La terreur est un des facteurs ayant le plus contribué au succès assyrien. Il s'agissait d'une stratégie calculée de leur part, et probablement d'un des premiers exemples de combat psychologique organisé.

Il n'était pas inhabituel pour eux de tuer tous les hommes, femmes et enfants qui se trouvaient dans une ville assiégée, et l'Assyrie est rapidement devenue synonyme de cruauté et d'atrocité. Pour terroriser leurs ennemis, ils écorchaient vifs les prisonniers et les torturaient en coupant différentes parties de leur corps.

Sur les inscriptions de leurs monuments et selon des rapports historiques, les Assyriens se vantaient de la hauteur qu'atteignaient leurs piles de têtes décapitées, d'avoir réduit en cendres des villes entières, empalé des êtres humains, coupé des mains, etc. L'un des monuments découverts dans les ruines de l'ancienne Assyrie porte l'inscription suivante du roi Assur-Nasirpal (dont le règne débute en 883 av. J.C.) au sujet de l'une des villes conquises :

« J'ai fait prisonniers leurs hommes, jeunes et vieux. J'ai coupé les pieds et les mains de certains, à d'autres j'ai coupé le nez, les oreilles et les lèvres. J'ai entassé les oreilles des jeunes hommes, et j'ai construit un minaret avec la tête des anciens. » (Hawlinson, Five Great Monarchies, vol. 2, p.85).

La stratégie assyrienne était de déporter les peuples conquis vers d'autres terres au sein de l'empire, de détruire toute forme de nationalisme, et de briser tout espoir de rébellion. Le déplacement de groupes de populations lointaines vers les villes conquises était une pratique courante, comme cela a été le cas avec la partie nord d'Israël en 772 av. J.C. Dans 2 Rois 17.24, nous lisons :

« Le roi d'Assyrie fit venir des gens de Babylone, de Kouta, d'Avva, de Hamath et de Sepharvaïm. Il les fit habiter dans les villes de Samarie à la place des Israélites. Ils prirent possession de Samarie et habitèrent dans ses villes. »

Ce peuple a ensuite été nommé « les Samaritains ».

Nahum 3.1-4, un compte rendu datant de 150 ans après Jonas, nous donne la description suivante de Ninive :

« La ville sanguinaire, remplie de tromperie, pleine de violence ! Les proies ne lui font pas défaut… »

Ce compte rendu fait aussi mention de la sorcellerie et de la magie. Le culte païen des Assyriens a d'ailleurs été fortement condamné par différents prophètes de l'Ancien Testament (Ésaïe 10.5 ; Ézéchiel 16.28 ; Osée 8.9).

Dans un contexte pareil, nous comprenons mieux pourquoi la plupart des Israélites ressentaient à la fois de la haine et une peur profonde envers les Assyriens. La réticence de Jonas d'aller vers ce peuple est aussi plus facile à comprendre.

> **Discussion :**
> **Essayez de vous mettre à la place de Jonas. Quelle aurait été votre réponse à l'appel de Dieu ?**
> **Souffrons-nous encore aujourd'hui du « syndrome Jonas » ?**
> **Si oui, de quelle façon ?**

3   L'islam : notre Ninive ?

Le terrifiant empire assyrien n'existe plus. La fameuse ville de Ninive n'est qu'un petit village dans l'Irak d'aujourd'hui. Mais d'autres puissances et autorités, villes et peuples ont remplacé l'empire d'Assyrie et Ninive. Pour de nombreux chrétiens en Europe, leur « Ninive » contemporain est l'islam. Ils sont témoins de l'agression d'extrémistes, les paroles de certains leaders spirituel les terrorisent, et ils se méfient des nombreux musulmans venus vivre dans leurs pays. L'un des plus grands obstacles que les chrétiens doivent surmonter pour s'ouvrir aux musulmans est leur propre attitude.

Une attitude marquée par la peur, les préjugés et la méfiance.

4 Affronter notre peur de l'islam

En tant qu'être humain, la peur est une émotion basique, naturelle et instinctive, créée par Dieu. La peur peut être un signal d'alarme en cas de danger, elle n'est donc pas toujours mauvaise. Mais, les dangers perçus ne sont pas forcément des dangers réels.

En anglais, l'acronyme suivant est utilisé pour décrire la peur (*fear* an anglais) : **F**alse **E**vidence **A**ppearing **R**eal, soit, « Fausse perception à l'apparence réelle ».

Toute peur repose sur une perception, et bien que la majorité de ce que nous appréhendons ne devienne pas réalité, les faux-semblants peuvent parfois être très convaincants !

Souvent, la peur déforme la réalité. Notre perception de nous-même est altérée, nous paraissons plus faibles, nos problèmes semblent insurmontables et nos ennemis invincibles. Mais surtout, la peur déforme notre image de Dieu - Il paraît plus faible, insensible et nullement intéressé par notre situation.

La différence entre la peur légitime d'un monde dangereux et la peur qui nous renferme sur nous-mêmes et qui insulte Dieu, repose sur l'objet et la personne que nous craignons, et vers où cette peur nous conduit. Nous rapproche-t-elle de Dieu, notre Protecteur ? Proverbes 29.25 nous dit : *« C'est un piège que de trembler devant les hommes, mais se confier en l'Eternel procure la sécurité. »*

La crainte peut devenir une arme de Satan, qui utilise cet instinct naturel pour nous empêcher de devenir tout ce que Dieu veut que nous soyons et de faire ce qu'Il veut que nous fassions. « Ne crains pas » est l'un des commandements le plus souvent répété dans la Bible, preuve que la peur et l'anxiété ne font pas seulement partie de la nature humaine, mais qu'elles sont également une émotion ou une réaction à la vie qui n'a pas le droit de troubler un disciple de Christ. David décrit ce paradoxe avec beauté :

PARTAGER SA VIE PREMIÈRE LEÇON

« Le jour où j'ai peur, moi, c'est en toi que je mets ma confiance. C'est grâce à Dieu que je loue sa parole ; c'est en Dieu que j'ai mis ma confiance, je n'ai pas peur : que pourraient me faire des humains ? » (Psaumes 56.3-4)

L'une des façons de gérer notre peur est d'apprendre ce qui en est la cause.

Dans le contexte de cette formation, alors que nous traitons de la peur de l'islam, il est important de savoir comment les musulmans pratiquent leur foi, interprètent le Coran, et comment l'islam se développe en Europe. C'est ce que nous verrons en détail dans la leçon 3.

Une autre étape importante pour affronter notre peur est de la prendre au sérieux :

« Lorsque notre vue est troublée par la peur, comment retrouver notre voie ? Comment retrouver un sens de la réalité alors que les menaces et les dangers semblent si réels ? La réponse se résume au fait de ressentir la peur. Si tu l'évites, elle s'assombrira et deviendra destructrice. Au lieu de fuir, permets-lui de te poursuivre sans essayer de la rejeter en récitant des formules pieuses ou en te laissant distraire par les activités quotidiennes. Faire face à sa peur c'est exposer son cœur. Nous comprenons notre peur en déterminant qui (et quoi) nous servons. Les sources de peur peuvent être classées en deux catégories : la crainte du monde et la crainte de Dieu. »[1]

La plupart du temps, notre peur émerge d'une volonté d'atteindre un certain niveau de plaisir, d'honneur, de sens, de sécurité et de bonheur dans un monde qui nous donne la plupart du temps de la douleur, de la honte, du chaos et du chagrin. La peur du monde est une autre manière de décrire la peur de ce que la vie (ou les autres) peut nous induire.

---

[1] Dan. B. Allender & Tremper Longman III, *The Cry of the Soul, how our emotions reveal our deepest questions about God* (Colorado Springs : NavPress, 1994), 99. Version proposée par le traducteur.

PREMIÈRE LEÇON — PARTAGER SA VIE

Une autre façon de gérer nos craintes est de confronter leur cause à une autre réalité. En tant que chrétien, cette autre réalité est le fait que Dieu est notre créateur, notre Père, par Jésus Christ. Une manière de surmonter la peur des hommes et des situations est donc de prendre toujours plus conscience de qui Dieu est.

C'est d'ailleurs l'un des messages des chapitres 40 à 54 d'Ésaïe, qui se déroulent à un moment de l'histoire du peuple de Dieu qui est similaire à ce que nous vivons actuellement.

5 Le contexte d'Ésaïe 40 à 54

Le prophète Ésaïe a vécu durant l'une des périodes les plus noires du peuple d'Israël. Le royaume du Nord (10 tribus) avait été déporté en Assyrie et le royaume du Sud (2 tribus) s'apprêtait à subir le même sort infligé par une autre puissance : Babylone.

Dans le passage d'Ésaïe 40 à 54 Dieu s'adresse à Son peuple en cette période difficile de son histoire : le peuple était en exil et le Temple, ainsi que la ville sainte de Jérusalem avaient été détruits. Le peuple était dispersé dans des nations étrangères et d'autres rois et puissances accompagnés de leurs dieux avaient pris le contrôle.

Le passé glorieux semblait bien loin, et le temple, le pays et l'identité n'étaient plus. Le peuple était découragé, démotivé et comme on peut le voir dans les versets suivant, pensait que Dieu l'avait abandonné :

« Ma destinée est cachée au Seigneur, mon droit passe inaperçu de mon Dieu » (Ésaïe 40.27)

« Sion disait : Le Seigneur m'a abandonnée, le Seigneur m'a oubliée ! » (Ésaïe 49.14).

Les jours glorieux du temps de David et de Salomon étaient révolus, et Israël n'était plus un royaume indépendant. L'idée était qu'aussi longtemps que le temple serait à Jérusalem, le peuple serait en sécurité. Mais maintenant le temple était détruit, et le peuple décrit : « *Et voilà un peuple pillé et dépouillé ! On les a tous pris au piège dans des* fosses, cachés dans des maisons de détention ; ils ont été pillés, et il n'y a personne pour les délivrer ! Ils sont dépouillés, et il n'y a personne pour dire : Restitue ! » (Ésaïe 42.22 ; cf. 49.19-21).

Le peuple était déçu de Dieu, pensant qu'Il ne le voyait pas, qu'Il ne savait pas et ne se préoccupait pas de lui. Petit à petit il s'est convaincu que Dieu n'était pas capable de faire quoi que ce soit pour lui et il n'attendait plus rien de Lui. Les chants de gloire du passé étaient bien loin. Le Psaume 137 exprime les sentiments en cette période :

« Sur les bords des fleuves de Babylone, nous étions assis et nous pleurions en nous souvenant de Sion. Nous avions suspendu nos harpes aux saules du voisinage. Là, ceux qui nous avaient déportés nous demandaient des chants, nos oppresseurs nous demandaient de la joie : 'Chantez-nous quelques-uns des chants de Sion !' Comment chanterions-nous les chants de l'Eternel sur une terre étrangère ? »

Le peuple était convaincu que la puissance de Dieu s'arrêtait à la frontière du Pays promis.

Il était découragé, déprimé, inquiet et apeuré.

Dans cette période sombre de l'histoire d'Israël, le prophète Ésaïe a été appelé par Dieu pour réconforter le peuple (Ésaïe 40.1), notamment en leur rappelant régulièrement de ne pas avoir peur (40.9 ; 41.10, 13, 14 ; 43.1, 5 ; 44.2, 8 ; 51.7, 12 ; 54.4, 14).

Dieu veut les aider à surmonter leurs craintes, en les ramenant à Lui :

« (...) n'aie pas peur, (...) Votre Dieu est là ! » (Ésaïe 40.9)

Dieu réconforte Son peuple craintif en se révélant de plus en plus :

« C'est moi, moi seul, qui vous console. Qui es-tu, pour avoir peur de l'homme mortel, de l'être humain, dont le sort est celui de l'herbe ? Tu oublierais le Seigneur, celui qui te fait, qui déploie le ciel et fonde la terre ! Tu serais dans une frayeur continuelle, constante (...) » (Es. 51.12-13)

PREMIÈRE LEÇON   PARTAGER SA VIE

De cette partie de la Bible, qui commence avec ces mots : « *Consolez, consolez mon peuple, dit votre Dieu* » (40.1) et se termine par « *Toute arme forgée contre toi sera sans effet ; et toute langue qui s'élèvera en justice contre toi, tu la condamneras. Voilà le patrimoine des serviteurs du Seigneur, la justice qui leur vient de moi – déclaration du Seigneur* » (54.17), nous pouvons découvrir cinq aspects de Dieu qui pourront nous aider à affronter notre peur de l'islam.

A   Dieu promet qu'il sera avec nous quoi qu'il arrive

« N'aie pas peur, car je suis avec toi » (Es. 43.5 ; cf. Es. 41.10).

L'une des raisons pour laquelle le peuple de Dieu ne devrait pas avoir peur quelles que soient les circonstances, est cette promesse que Dieu sera toujours avec nous. Dieu sera avec nous (41.10 ; 43.5), il ne nous abandonnera jamais (41.17 ; 42.16) et il ne nous oubliera pas (44.21 ; 49.15).

Le fait que Dieu est avec nous ne veut pas dire que nous vivrons une vie sans problèmes et sans difficultés. Il y a aura des épreuves et des moments plus difficiles, mais rien ne pourra réellement nous atteindre. Ésaïe 43.2 : « *Si tu traverses les eaux, je serai avec toi ; si tu passes les fleuves, ils ne t'emporteront pas ; si tu marches dans le feu, tu ne te brûleras pas, et les flammes ne te dévoreront pas.* » La présence de Dieu nous réconforte dans les moments de crainte.

B   Le plan de Dieu va s'accomplir quoi qu'il arrive

« J'annonce dès le commencement ce qui vient par la suite et dès le temps jadis ce qui n'est pas encore fait. Je dis : Mes projets se réaliseront, et je ferai tout ce que je désire. J'appelle de l'orient un oiseau de proie, d'un pays lointain l'homme de mes projets. Ce que j'ai dit, je le fais arriver ; ce que j'ai façonné, je le fais. » (Ésaïe 46.10-11)

Dans son désir de réconforter son peuple et l'aider à abandonner ses craintes, Dieu attend de nous que nous nous concentrions sur qui Il est.

PARTAGER SA VIE   PREMIÈRE LEÇON

B.1   Il est le créateur souverain

« C'est moi, moi seul, qui vous console. Qui es-tu, pour avoir peur de l'homme mortel, de l'être humain, dont le sort est celui de l'herbe ? Tu oublierais le Seigneur, celui qui te fait, qui déploie le ciel et fonde la terre ! Tu serais dans une frayeur continuelle, constante, devant la fureur de l'oppresseur, comme lorsqu'il s'apprête à détruire ! Où donc est la fureur de l'oppresseur ? » (Ésaïe 51.12-13)

Quand l'orage fait rage autour de nous, que nous sommes saisis d'épouvante, et que les fondations de notre vie semblent s'effondrer, Dieu désire que nous nous souvenions qu'Il est le Créateur Souverain. Oui, notre Dieu est l'unique Créateur de toutes choses (44.24 ; 48.13 ; 51.16). C'est Lui qui pèse et mesure le ciel et la terre, les eaux et les montagnes (40.12), les forêts et les animaux (40.16), les étoiles et les planètes (40.26), les nations et les îles (40.15). Chaque dirigeant et habitant sur cette terre doit rendre compte de son existence au Dieu Eternel, le Créateur de la terre entière. Il donne le souffle de vie à Son peuple et à tout être vivant sur la terre (42.5). Il a créé les cieux et la terre dans un but précis (45.18). Il est le créateur souverain, et n'a besoin d'aide de personne (40.13-14 ; 44.24). Nous pouvons nous confier en Sa puissance, Sa sagesse, et en Ses objectifs pour nous, même si nous ne comprenons pas tout.

Les peuples et les puissances qui nous impressionnent et nous font trembler ne sont qu'une goutte d'eau dans un seau (40.15), des sauterelles (40.22), ou encore de l'argile (45.9) dans les mains du Créateur Souverain.

B.2   Il est le juge de toute la terre

« Îles, faites silence pour m'écouter ! Que les peuples renouvellent leur force, qu'ils s'avancent et qu'ils parlent ! Comparaissons ensemble au jugement. » (Ésaïe 41.1)

Dieu appelle les nations et leurs idoles à Lui présenter leur situation et leurs arguments (Ésaïe 41.19-25), à amener leurs témoins (43.9-21), et à se rassembler (45.20). Ésaïe nous donne une image du Dieu juste qui

PREMIÈRE LEÇON PARTAGER SA VIE

appelle toutes les nations, tous les peuples à se revêtir de force et à se présenter devant Lui pour le jugement. Dieu est le juge de toute la terre. Il demande à chaque nation de rendre compte de sa vie, religion et pensées. Les nations entrent dans Ses parvis, Il est le juge de tous, et au moment voulu par Lui, chacun recevra sa sentence.

Dieu s'est engagé pour la justice et la miséricorde. Sa justice sera une lumière pour les nations (51.4) et Son bras leur apportera la justice (51.5). Sa justice n'échouera jamais (51.6). Même si l'injustice et la perversion semblent dominer actuellement, Dieu reste le juge de toute la terre, et il y mettra de l'ordre en temps voulu. Un temps viendra où tout genou fléchira devant Lui et chaque langue confessera qu'Il est Seigneur (45.23).

L'assurance du jugement de Dieu à la fin des temps nous aide à ne pas prendre nous-mêmes les choses en mains, et à laisser la place à Dieu.

B.3   Il est le dirigeant de tous les dirigeants

« Qui a suscité de l'orient celui que la justice appelle sur ses pas ? Qui lui a livré des nations et abaissé des rois ? Son épée les réduit en poussière, son arc fait d'eux du chaume que le vent emporte. Il les poursuit, il passe, victorieux, sur un sentier que ses pieds n'avaient jamais foulé. » (Ésaïe 41.2-3)

Dieu humilie les princes et les dirigeants qui paraissent si impressionnants et qui font le mal (40.23). Il utilise les responsable politiques pour ses desseins éternels, même s'ils ont l'impression de mettre en œuvre leurs propres plans (41.25 ; 44.28 ; 45.1-13).

Les passages d'Ésaïc font principalement référence à Cyrus, le roi Perse, que Dieu appelle « mon berger », et qui accomplit tout ce qui plaît à Dieu (44.28). Dieu l'appelle également « mon oint » (45.1).

Voici un exemple de la façon dont Dieu élève un roi et le dirige dans ses conquêtes. Dieu est le dirigeant des dirigeants de l'histoire. Il contrôle les affaires des hommes et des nations, en fonction de son plan. Dieu mettra un terme aux empires malveillants de ce monde (tel que

Babylone au temps d'Ésaïe) ; et ce malgré le fait qu'ils s'imaginent que leur puissance durera à jamais (47.7). Dans Sa souveraineté, Dieu a utilisé des nations étrangères pour châtier Israël (47.6).

B.4   Il est le premier et le dernier

« Qui a agi, qui a fait ? C'est celui qui convoque les générations dès le commencement. Moi, le Seigneur, je suis le premier, et, avec les derniers, c'est encore moi. » (Ésaïe 41.4 ; cf. 43.10 ; 44.6 ; 48.12)

Dieu a le contrôle sur tout ce qui arrive. Il est le premier, Il est la réalité absolue devant toute autre réalité. Il n'a pas été créé, Il est éternel (40.28). Dieu sera là jusqu'au moment où tout sera accompli selon son plan éternel. Il connaît la fin dès le début (44.7 ; 46.10 ; 48.3). Il connaît l'avenir (45.11).

L'histoire humaine n'est pas une combinaison hasardeuse d'événements indirects qui s'enchaînent, c'est Dieu qui dirige les événements humains vers une résolution finale et un accomplissement.

Cela signifie que Dieu a réellement un plan pour l'humanité, et qu'Il dirige les pas de l'être humain en fonction de l'accomplissement divin prévu. Dieu est autant le premier que le dernier, Il a toute autorité, et Il dirige toute l'Histoire humaine ainsi que nos vies personnelles.

Le fait que Dieu se nomme le premier et le dernier se réfère également au fait qu'Il est la seule vraie puissance, la seule vraie autorité, la réalité ultime, le seul sauveur : *« C'est moi, moi seul, qui suis le Seigneur, hors de moi il n'y a pas de sauveur »* (43.11, et 44.8 ; 44.24 ; 45.5, 6, 18, 21, 22 ; 46.9, 10).

Jésus a également ce titre, il est le premier et le dernier dans Apocalypse 1.17 et 22.13.

PREMIÈRE LEÇON   PARTAGER SA VIE

> Discussion :
> - Dieu est le Seigneur souverain de l'Histoire. Qu'est-ce que cela nous enseigne sur le début de l'islam au VIIe siècle ?
> - À la lumière de la souveraineté de Dieu, comment devrions-nous voir les musulmans radicaux et les groupes tels que les Talibans et Al-Qaeda ? Pouvons-nous imaginer que ces gens et groupes puissent être utilisés par Dieu pour accomplir Ses plans ? Si oui, quels pourraient être ces plans ?
> - Quelle est la relation entre la souveraineté de Dieu et l'arrivée de millions de musulmans en Europe ? En parlant de cela, référez-vous à ce que l'apôtre Paul a dit : « *D'un seul être il a fait toutes les nations des humains, pour que ceux-ci habitent sur toute la surface de la terre, dans les temps fixés et les limites qu'il a institués, afin qu'ils cherchent Dieu, si tant est qu'on puisse le trouver en tâtonnant. Pourtant il n'est pas loin de chacun de nous.* » (Actes 17.26-27).
> - Comment pouvons-nous aider des musulmans, qui cherchent Dieu à le trouver ?

C   Dieu s'est engagé envers son peuple, quoi qu'il arrive

« *Mais toi, Israël, mon serviteur, Jacob, que j'ai choisi, descendance d'Abraham, mon ami ! Toi, que j'ai saisi des extrémités de la terre et que j'ai appelé de ses confins, à qui j'ai dit : Tu es mon serviteur, je te choisis et je ne te rejette pas !* » (Ésaïe 41. 8-9)

« *N'aie pas peur, car j'ai assuré ta rédemption. Je t'ai appelé par ton nom : tu es à moi !* » (Ésaïe 43.1b)

Au temps d'Ésaïe, le peuple de Dieu pensait que tout était fini. Les autres puissances paraissent largement supérieures à Israël. Aujourd'hui, beaucoup de chrétiens en Europe craignent que l'Église européenne disparaisse et que l'islam prenne le dessus. Ils voient des églises transformées en mosquées, et se rendent compte que l'influence du christianisme sur la société s'affaiblit.

Avec cette réalité-ci, les paroles d'Ésaïe sont significatives. Ésaïe dit clairement que le peuple de Dieu à son époque, ainsi que les chrétiens du XXIe siècle, sont précieux aux yeux de Dieu (43.4) ; leurs noms sont gravés sur la paume de Ses mains (49.16). Dieu n'a pas honte de s'appeler leur Dieu (40.1 ; 43.3), leur Sauveur (43.3), celui qui les rachète (43.14), et leur roi (43.15). Sa réputation est étroitement liée à la leur (48.11 ; 43.7). Il les protège quand ils sont en danger (43.2 ; 54.17) ; Il les guide comme un berger (40.11) ; Il leur offre son aide (40. 13-14) ; Il les fortifie (41.10). Il les réconforte (40.1 ; 51.12) ; Il leur promet un avenir radieux (42.14-16 ; 43.5-6).

D   Le plan de Dieu pour ses serviteurs implique la croix, quoi qu'il arrive

La souveraineté et l'engagement de Dieu, ainsi que Sa promesse d'être toujours avec nous, ne signifient pas que Son peuple ne traverserait pas des périodes de souffrance et de persécution.

C'est en fait l'inverse. A travers ces passages d'Ésaïe, nous nous rendons compte que la souffrance ne peut être séparée de l'accomplissement des plans éternels de Dieu. Dans ces chapitres, il y a quatre « chants du serviteur » (42.1-9 ; 49.1-6 ; 50.4-9 ; 52.13-53.12).

Chaque passage parle d'un certain serviteur qui reçoit une mission du Seigneur. L'œuvre incroyable du Seigneur pour le peuple d'Israël et pour le monde entier dont Ésaïe nous parle, est accomplie par le biais de ce personnage. Le ministère de ce serviteur du Seigneur est accompli en Jésus. Ce serviteur ouvre la voie au retour de l'exil, non seulement géographique, mais aussi et surtout, spirituel. C'est par ce serviteur que les plans de Dieu sont accomplis, et ce n'est pas pour rien que trois des quatre chants du serviteur abordent le thème de la souffrance. Dans le deuxième (49.4, 7) et le troisième chant (50.6), la souffrance n'est pas très apparente, mais elle est le thème principal dans le quatrième. Il semblerait que la douleur, la souffrance, la persécution fassent partie intégrante de la vie de disciple de Jésus.

6 La crainte du Seigneur nous permet de dépasser nos craintes

« Qui parmi vous craint le Seigneur, en écoutant son serviteur ? Quiconque marche dans les ténèbres et manque de clarté, qu'il mette sa confiance dans le nom du Seigneur et qu'il s'appuie sur son Dieu ! » (Ésaïe 50.10)

Dans ces passages d'Ésaïe, où le Seigneur réconforte son peuple craintif en le ramenant à Lui, l'ordre « Ne crains pas » est répété plus de dix fois. Nous sommes encouragés à ne craindre ni les hommes, ni les dirigeants, ni les situations, ni notre avenir, ni les injustices commises, etc. Au contraire, nous sommes encouragés à craindre le Seigneur ; l'expression « crainte de Dieu » désigne une attitude de respect, de confiance, de soumission et d'obéissance. Plus une personne craint le Seigneur, moins elle craindra les hommes et les circonstances. La crainte du Seigneur nous aide à dépasser la crainte des hommes, comme David le dit dans le Psaume 112 :

« (...) Heureux l'homme qui craint le Seigneur, qui trouve un grand plaisir dans ses commandements ! (...) Il ne craint pas de mauvaise nouvelle ; son cœur est ferme, sa confiance est dans le Seigneur. » (Psaumes 112.1, 7).

À FAIRE POUR LA PROCHAINE LEÇON

Le devoir le plus important de cette leçon et en préparation pour la suivante est de PRIER. Prier pour un changement dans le monde de l'islam en général, et pour un changement dans nos cœurs vis-à-vis des musulmans. Nous aimerions vous encourager à prier chaque jour pour les musulmans. Il peut s'agir de ceux dont on parle aux infos, ou des personnes dont vous avez entendu parler ou connaissez personnellement. Priez que Dieu fasse d'eux Ses disciples.

1. Examinez votre vie et votre cœur : y-a-t-il des domaines dans votre vie dans lesquels la crainte des hommes ou des circonstances sont plus grandes que votre crainte de Dieu ? Comment

pouvez-vous appliquer les leçons d'Esaïe 40 à 55 à ces situations ?

2. Nous aimerions également vous encourager à examiner votre attitude à l'égard de l'islam et des musulmans. Pour cela, utilisez le papier sur lequel vous avez écrit vos mots, pensées, images concernant l'islam, et vos réflexions sur ce que vous pensez ou aimeriez que l'islam soit d'ici vingt ans.

> **Utilisez le contenu de cette leçon durant vos temps de prière et jusqu'à la prochaine leçon, et lisez les Psaumes suivants :**
>
> 1er jour : Psaume 137
> 2e jour : Psaume 109
> 3e jour : Psaume 55
> 4e jour : Psaume 69
> 5e jour : Psaume 56
> 6e jour : Psaume 27
> 7e jour : Psaume 91
>
> **Répondez pour chaque Psaume : quelle leçon est-ce que je tire de la lecture de ce Psaume, et comment cela peut-il m'aider dans mon attitude à l'égard de l'islam et des musulmans ?**

La plupart de ces Psaumes sont nommés « Psaumes d'invocation », dans lesquels le psalmiste demande à Dieu de punir ses ennemis. Beaucoup de chrétiens trouvent difficile de mettre ces Psaumes en harmonie avec l'amour de Dieu et Ses commandements d'aimer nos ennemis. Cependant, il n'y a pas de contradiction. Nous approprier ces Psaumes de prière signifie que nous reconnaissons la vérité de Romains 12.19-21 (qui reprend Deutéronome 32.35), c'est-à-dire

« Ne vous faites pas justice vous-mêmes, bien-aimés, mais laissez place à la colère, car il est écrit : C'est moi qui fais justice ! C'est moi qui paierai de retour, dit le Seigneur. » (Romains 12.19).

Ces Psaumes nous enseignent que dans notre relation avec notre Père Céleste, toutes nos émotions, mêmes les plus négatives ont leur place. En remettant notre colère, notre peur, notre anxiété et nos préjugés à Dieu, Lui qui est aimant, plein de grâce, saint et juste, nous enseigne la vie par la grâce, à pardonner et à être comme Lui.

Psaume 137

Ce Psaume exprime les émotions post-traumatiques du peuple de Dieu exilé à Babylone. Il a traversé des situations d'une extrême violence et a été déporté et forcé de vivre sous un régime étranger. Le peuple est rempli de chagrin et de désespoir, il veut savoir ce que Dieu fera à ce sujet. Il veut se venger et que justice soit rendue.

> « *Oser exprimer un désir de vengeance dans un contexte d'adoration du Dieu d'amour peut mener à la prise de conscience déchirante 'qu'écraser sur le roc' n'importe quel enfant serait insupportable.* »[2]

Psaume 109

Dans ce Psaume David exprime sa colère au sujet d'une agression injustifiée. Il voulait une vengeance – faire payer toute la famille de l'homme qui l'a blessé. Il voulait voir souffrir les agresseurs qui lui ont causé cette agonie. Réfléchissez à la place de la colère dans a vie du chrétien.

Psaume 55

Dans ce Psaume, David exprime sa peur. Le danger auquel il fait face a pris le dessus de son esprit et il est incapable de penser à autre chose. Un ami proche a trahi sa confiance et l'a profondément blessé. Il veut fuir loin de ce danger, mais selon la dernière partie du Psaume, il ne fuit pas vers le désert mais vers Dieu, car c'est dans Sa présence qu'il trouvera le réconfort.

---

[2] Ida Glaser: 'We Sat Down and Wept': Biblical Babylon and Israel as Resources for Conflict Situations, *The Round Table*, Vol 94, No. 382, 641-651, Octobre 2005 / Traduction proposée.

Psaume 69

Dans les Psaumes, on retrouve souvent la bonté divine au milieu de la détresse. Le Psaume 69 est un bel exemple de transition de la souffrance, la crainte et le danger vers la gloire et le repos. En effet, la vision de David se déplace de la souffrance vers Dieu, d'où le changement soudain d'humeur à la fin : il passe de la douleur à la joie (versets 30 à 36).

Psaume 56

C'est un autre Psaume dans lequel David dépose sa crainte devant le Seigneur. Ce Psaume exprime un paradoxe : « Quand je suis dans la crainte, en toi je me confie. […] Je me confie en Dieu, je ne crains rien. » Reconnaissez-vous ce paradoxe dans votre vie ?

Psaume 27

Dans ce Psaume, David reconnait que Dieu est plus grand que ses problèmes. Il se peut que ces derniers ne se résolvent pas, mais en Sa présence, Dieu nous donne la paix.

Psaume 91

Ce Psaume nous enseigne qu'en situation de danger, dans les moments difficiles ou lorsque des personnes malveillantes nous défient, nous pouvons nous cacher dans la présence de Dieu.

DEUXIÈME LEÇON　　　　　　PARTAGER SA VIE

DEUXIÈME LEÇON :
DÉVELOPPER UNE ATTITUDE REMPLIE DE GRÂCE

Objectif : aider les étudiants à comprendre l'importance de la grâce de Dieu dans la Bible et dans nos propres vies, particulièrement vis-à-vis de l'islam et des musulmans.

> **En groupe :**
> Discutez des devoirs de la première leçon, la prière et de la lecture des Psaumes.
> Qu'avez-vous avez appris ?

1   Introduction

Lors de la première leçon, nous avons réfléchi à notre attitude à l'égard de l'islam et des musulmans. Venir dans la présence du Seigneur avec nos craintes, nos préjugés et notre anxiété nous permet de développer une attitude nouvelle : remplie de grâce. C'est le sujet de cette deuxième leçon, et il s'agit là d'un thème que nous aimerions approfondir. Nous nous concentrerons tout particulièrement sur la grâce de Dieu envers Jonas, et la réticence de ce dernier à faire preuve de grâce à son tour.

Nous aimerions également vous aider à grandir dans votre compréhension de l'importance de la grâce dans la Bible et dans nos vies, et vous expliquer à quoi ressemble une attitude de grâce envers les musulmans.

> **Activité :**
> Sur un papier, écrivez votre définition/description de « la grâce ».
>
> **Discussion :**
> C.S. Lewis a dit :
> Le trait spécifique du christianisme par rapport aux autres religions du monde, c'est la grâce. Êtes-vous d'accord ? Expliquez votre réponse.

PARTAGER SA VIE DEUXIÈME LEÇON

2 Leçons de grâce dans la vie de Jonas

« Jonas, dans le ventre du poisson, pria le Seigneur, son Dieu. Il dit : De ma détresse, j'ai invoqué le Seigneur, et il m'a répondu ; du sein du séjour des morts j'ai appelé au secours, et tu m'as entendu. » (Jonas 2.12)

Jonas s'était enfui loin du Seigneur, et a donc dû faire face au jugement de Dieu. Malgré cela, il appelle Dieu à l'aide, et c'est avec grâce que le Seigneur lui répond. En effet, alors qu'il se trouve dans le ventre du poisson, Jonas réalise à quel point il est dépendant de Dieu et de Sa grâce, il s'écrie : *« C'est au Seigneur qu'appartient le salut ! »* (2.10). Ce poisson est le symbole de la grâce dans la vie de Jonas. Nous qui connaissons tellement bien cette histoire, ne nous rendons pas toujours compte de l'envergure de la grâce et de la compassion de Dieu dans ce passage. Le Seigneur veut nous apprendre à agir avec grâce et compassion, plutôt que d'être remplis de fierté et de jugement. Mais nous voyons que Jonas n'a pas encore compris cela.

« Il pria le Seigneur en disant : S'il te plaît, Seigneur, n'est-ce pas ce que je disais quand j'étais encore dans mon pays ? C'est pourquoi j'ai préféré fuir à Tarsis. Car je savais que tu es un Dieu clément et compatissant, patient et grand par la fidélité, qui renonces au mal. » (Jonas 4.2).

L'objet de la crainte de Jonas, qui l'avait poussé à désobéir à Dieu, est devenu une réalité : Dieu pardonne aux gens de Ninive et leur fait don de Sa grâce plutôt que de Sa justice. Dans le chapitre 4, nous constatons l'amour et la patience de Dieu envers Jonas, mais la simple acceptation de mission de la part du prophète au chapitre 3 ne suffit pas : Dieu veut que Jonas ait pitié des habitants de la ville comme Dieu a eu pitié de lui. Le cœur de Jonas n'a pas complètement changé depuis son premier appel dans le premier chapitre.

Alors Dieu lui demande : *« Fais-tu bien de te fâcher ? »* (4.4). Dieu appelle Jonas à s'examiner lui-même et à évaluer son attitude envers le peuple pour lequel Dieu l'a appelé. Bien que Jonas réponde par un bel

DEUXIÈME LEÇON — PARTAGER SA VIE

argument théologique, le reste du chapitre nous montre qu'une bonne théologie n'amène pas forcément à un changement du cœur. C'est pour cette raison que Dieu demande à Jonas de s'examiner.

Réfléchissez-y : Dieu seul a le droit d'être en colère avec les habitants de Ninive, Lui qui ne supporte ni le péché ni la violence. Pourtant, il décide de faire preuve de grâce et de pardonner ce peuple pécheur et violent. Jonas, a-t-il donc le droit d'être en colère alors que Dieu a décidé de ne pas détruire Ninive ? Jonas sait qu'il est écrit dans le Pentateuque : *« À moi la vengeance et la rétribution »* (Deutéronome 32.35a). Le sort de Ninive est la responsabilité de Dieu, et non pas la sienne, mais le problème de Jonas est qu'il veut contrôler Dieu.

Nous cherchons à prendre la place de Dieu lorsque nous cultivons notre colère envers des personnes et des groupes pardonnés par Dieu, lorsque nous cherchons à les punir en adoptant une attitude négative à leur égard, par des paroles violentes et hostiles, ou même par des actes destructeurs. En accomplissant ce que nous pensons être de la justice, nous sortons de la volonté de Dieu, et lorsque nous agissons ainsi, Dieu pourrait nous poser la même question qu'à Jonas : « Est-ce que c'est ton droit ? ». La seule réponse juste devrait être : « Non, Seigneur, c'est ton droit, pas le mien. J'ai tort d'être en colère. » Ceux qui bénéficient de la compassion de Dieu n'ont pas le droit de remettre en question l'extension de Sa grâce souveraine à d'autres, aussi imméritée qu'elle puisse paraître.

> **Discussion :**
> C'était très difficile pour Jonas de « faire grâce ». Est-ce que vous pouvez vous identifier à lui ? Dans quelles situations trouvez-vous difficile de « faire grâce » à d'autres ?
> Est-ce que notre attitude à l'égard de l'islam et des musulmans est similaire à l'attitude de Jonas à l'égard des habitants de Ninive ? Expliquez.

PARTAGER SA VIE — DEUXIÈME LEÇON

3 Une description de la grâce

« (…) par la grâce de Dieu je suis ce que je suis (…) » (1 Corinthiens 15.9-11)

Voici un acronyme de la Grâce permettant de donner une bonne définition du concept (en anglais) : **G**od's **R**iches **A**t **C**hrist's **E**xpense, soit, « Les richesses de Dieu aux frais de Christ ».

Une définition courante de la grâce est : la faveur imméritée de Dieu. Le mot grec pour grâce est *charis*. Ce qui signifie « une faveur imméritée, une bénédiction reçue comme un cadeau, gratuitement et jamais en réponse à un travail accompli ». Le terme hébreu pour grâce signifie « se pencher, se courber ». Cela inclut l'idée « d'une faveur condescendante » (Psaumes 18.35).

La grâce est « ce que Dieu fait pour l'humanité par son Fils, que l'humanité ne peut mériter ou gagner ». Dans la Bible, la grâce de Dieu est décrite comme glorieuse (Éphésiens 1.6), abondante (Actes 4.33), incomparablement riche (Éphésiens 1.7 ; 2.7), variée (multicolore, avec divers côtés, 1 Pierre 4.10) et suffisante (2 Corinthiens 12.9). Quand nous étudions le concept de la grâce dans la Bible, nous remarquons trois choses :

1. La grâce fait partie de l'essence même de qui Dieu est ;
2. La grâce est présente dans toutes les doctrines principales de la Bible ;
3. La grâce se voit et se reconnaît dans la vie des chrétiens.

Nous allons regarder de près chacun de ces trois aspects.

3. A La grâce fait partie de l'essence même de qui Dieu est

3.A.1 La grâce de Dieu est présente tout au long de la Bible

Nous trouvons l'expression « grâce de Dieu » vingt fois dans le Nouveau Testament[3]. Elle indique la source de la grâce. Dieu est appelé «

---

[3] Luc 2.40, Actes 11.23 ; 13.43 ; 14.26 ; 20.24 ; Romains 5.15 ; 1 Corinthiens 1.4 ;

le Dieu de toute grâce » (1 Pierre 5.10), qui règne comme souverain sur le *« trône de grâce »* (Hébreux 4.16). L'Esprit de Dieu est appelé *« l'Esprit de grâce »* (Hébreux 10.28-29). L'Évangile est appelé *« la bonne nouvelle de la grâce de Dieu »* (Actes 20.24). La parole de Dieu est qualifiée de *« parole de sa grâce »* (Actes 20.32).

La doctrine de la grâce divine souligne la pensée, tant de l'Ancien que du Nouveau Testament. Cependant, l'Ancien Testament anticipe et nous prépare à l'expression complète de la grâce qui se manifeste pleinement dans le Nouveau Testament. La première fois que le mot grâce est utilisé dans la Bible (version de la Septante), est dans Genèse 6.8 où nous lisons : *« Mais Noé trouva grâce aux yeux du Seigneur ».* L'une des dernières paroles de la Bible concerne la grâce : *« Celui qui atteste ces choses dit : Oui, Je viens bientôt. Amen ! Viens, Seigneur Jésus ! Que la grâce du Seigneur Jésus soit avec tous ! Amen. »* (Apocalypse 22.20-21).

3.A.2 Jésus est la manifestation ultime de la grâce de Dieu

« La Parole est devenue chair ; elle a fait sa demeure parmi nous, et nous avons vu sa gloire, une gloire de Fils unique issu du Père ; elle était pleine de grâce et de vérité. (…) Nous, en effet, de sa plénitude nous avons tous reçu, et grâce pour grâce ; car la loi a été donnée par Moïse, la grâce et la vérité sont venues par Jésus–Christ. » (Jean 1.14, 16- 17)

Quand Paul écrit à Tite au sujet de la première venue de Christ, il dit *« Car elle s'est manifestée, la grâce de Dieu, source de salut pour tous les humains »* (Tite 2.11). La grâce de Dieu est plus qu'un attribut divin, c'est une personne divine, Jésus-Christ. Jésus-Christ n'est pas seulement Dieu incarné, mais aussi la grâce incarnée. L'expression de la grâce de Dieu est personnifiée en Jésus.

3.10 ; 15.10 ; 2 Corinthiens 1.12 ; 6.1 ; 8.1 ; 9.14 ; Galates 2.21 ; Colossiens 1.6 ; Tite 2.11 ; Hébreux 2.9 ; 12.15 ; 1 Pierre 4.10 ; 5.12.

PARTAGER SA VIE DEUXIÈME LEÇON

3.B La grâce est présente dans toutes les doctrines principales de la Bible

« C'est par la grâce, en effet, que vous êtes sauvés au moyen de la foi. Cela ne vient pas de vous, c'est le don de Dieu. Ce n'est pas en vertu des œuvres, pour que personne ne puisse faire le fier. » (Éphésiens 2.8-9)

La grâce est au cœur de ce que nous croyons, elle est la base de notre foi chrétienne. Elle touche chaque vérité ou doctrine d'une manière ou d'une autre, chaque aspect de la doctrine est lié à la grâce.

Nous sommes déclarés juste par un don de la grâce de Dieu (Tite 3.4-8 ; Romains 3.21-24). Nous sommes sauvés par grâce (2 Timothée 1.9 ; Actes 15.8-12). Nous sommes pardonnés, rachetés, adoptés comme enfants de Dieu par la grâce (Éphésiens 1.3-8 ; Actes 18.26-28). Nous sommes appelés et choisis par grâce (2 Timothée 1.7-10 ; Galates 1.6, 13-17 ; Romains 11.5-6). Notre espoir pour l'avenir et notre sécurité éternelle sont basés sur la grâce (2 Thessaloniciens 2.15-17 ; 1 Pierre 1.13-15 ; Romains 5.1-2).

La grâce a un prix. Dans sa première épître, l'apôtre Pierre écrit énormément au sujet de la grâce (1.2, 10, 13 ; 2.19-20 ; 3.7 ; 4.10 ; 5.10, 12). Il rappelle à ses lecteurs que nous ne sommes pas rachetés par des matières périssables, telles que l'argent et l'or, mais *« par le sang précieux du Christ »* (1.19).

Quel paradoxe divin incroyable – la grâce a coûté très cher à Dieu et pourtant elle est totalement gratuite pour l'humanité. La grâce est la faveur de Dieu offerte gratuitement, mais donnée à grand prix !

Dans 1 Corinthiens 15.10, l'apôtre Paul écrit :

« Mais par la grâce de Dieu je suis ce que je suis, et sa grâce envers moi n'a pas été inutile (…) ».

Par ce témoignage nous voyons un bel exemple de l'application pratique de la grâce. La marque d'un enfant de Dieu, c'est que par la grâce de Dieu, Il est ce qu'Il est.

3.C La grâce se voit et se reconnaît dans la vie des chrétiens

« À son arrivée, lorsqu'il vit la grâce de Dieu, il se réjouit (…) » (Actes 11.23)

Il est normal que la grâce ait un rôle central dans la vie des chrétiens, étant donné que la grâce fait tellement partie de qui Dieu est, qu'elle est la base de notre salut et de toute bonne chose venant de notre Dieu. La grâce devrait être notable dans ce que nous sommes et ce que nous faisons. Quand Barnabas est arrivé à Antioche, il *a vu* la grâce de Dieu dans la vie des croyants. Les apôtres ont vu la grâce de Dieu en Paul, et lui ont tendu la main (« *la main droite, en signe de communion* » Galates 2.9). La grâce devrait être vue et reconnue dans nos vies. On peut appeler la grâce « l'amour en action ». Comme nous l'avons reçue de Dieu et continuons de la recevoir en abondance, elle transforme notre être et dirige nos actions.

Malgré cela, les chrétiens ne sont pas toujours reconnus pour la grâce qu'ils expriment. Le conseiller David Seamond écrit :

« Les deux causes majeures de la plupart des problèmes émotionnels parmi les chrétiens évangéliques sont l'incapacité à comprendre, à recevoir et à vivre la grâce et le pardon inconditionnels de Dieu, ainsi que l'incapacité à donner cet amour, ce pardon et cette grâce inconditionnels à d'autres personnes… Nous lisons, nous écoutons, nous croyons une bonne théologie de la grâce. Mais nous ne la vivons pas. La bonne nouvelle de l'évangile de grâce ne nous atteint pas encore dans nos émotions. »

C'est pourquoi il est bon de regarder ce que la Bible enseigne sur la grâce en action dans nos vies, et à quoi cela ressemble concrètement.

3.C.1 La grâce nous permet de vivre des vies saintes et transformées

« Car elle s'est manifestée, la grâce de Dieu, source de salut pour tous les humains. Elle nous apprend à renier l'impiété et les désirs de ce monde, et à vivre dans le temps présent d'une manière pondérée, juste et pieuse. » (Tite 2.11-12)

PARTAGER SA VIE   **DEUXIÈME LEÇON**

Dans ces versets, ainsi que dans Tite 3.3-8, Paul établit un lien évident entre la doctrine de la grâce et la vie des chrétiens - la grâce de Dieu produit des vies transformées. La grâce amène le salut, mais ne s'arrête pas là, elle permet ensuite au croyant de vivre une sanctification quotidienne. La grâce nous permet de vivre différemment, de renoncer à l'impiété et aux passions du monde. Elle nous permet de vivre des vies saintes, honnêtes et contrôlées, de faire des œuvres bonnes (Tite 3.8). La doctrine chrétienne se partage mieux avec une vie transformée que par des paroles. Le credo détermine la conduite. La grâce ne nous permet pas de faire ce que nous voulons, mais la puissance d'accomplir ce que nous sommes appelés à faire et à être.

3.C.2 La grâce nous protège de l'amertume et nous libère pour pardonner et lâcher prise

« Poursuivez la paix avec tous, ainsi que la consécration sans laquelle personne ne verra le Seigneur. Veillez à ce que personne ne se prive de la grâce de Dieu ; à ce qu'aucune racine d'amertume, en produisant des rejetons, ne cause des perturbations, et qu'une multitude n'en soit souillée. » (Hébreux 12.14-15)

La grâce nous libère d'une attitude légaliste qui produit toujours de l'amertume et souille beaucoup de personnes. Le légalisme met l'accent sur ce que nous devrions faire pour Dieu, avant de considérer ce que Dieu a fait pour nous en Jésus. L'amertume nous pousse à porter un regard dur et sans compassion sur les hommes et les situations. Elle nous rend aigris et grincheux dans notre comportement général, ce qui se traduit par une mine renfrognée, et du venin sur la langue. (Jacques 3.8)

Nous avons besoin de la grâce dans nos relations les uns avec les autres afin de pouvoir exprimer la patience, le pardon, la soumission et la liberté, et pour que Dieu puisse travailler dans la vie de l'autre personne. La grâce nous libère du sentiment de devoir tenir le rôle du Saint-Esprit dans la vie des autres. Grandir dans la grâce nous aide à passer moins de temps et d'énergie à critiquer les autres et leurs choix, et à devenir plus tolérant, moins porteurs de jugement.

DEUXIÈME LEÇON   PARTAGER SA VIE

Charles R. Swindoll, dans son livre *Grace Awakening* (Éveil à la grâce), cite le poème d'un inconnu qui explique que pour être une personne remplie de grâce, il faut « lâcher prise » :

LÂCHER PRISE

Lâcher prise ne signifie pas arrêter de se soucier des autres,
mais refuser d'agir à leur place.
Lâcher prise, ce n'est pas me détacher,
mais c'est me rendre compte que je ne peux diriger quelqu'un d'autre.
Lâcher prise, ce n'est pas enseigner autrui,
mais c'est lui permettre d'apprendre les conséquences de ses actes.
Lâcher prise, c'est admettre son impuissance,
ce qui signifie que le résultat ne dépend pas de moi.
Lâcher prise, ce n'est pas essayer de changer ou de blâmer quelqu'un d'autre,
je peux seulement me changer moi-même.
Lâcher prise, ce n'est pas s'occuper de quelqu'un,
mais s'intéresser à quelqu'un.
Lâcher prise, ce n'est pas décider pour autrui, mais être son soutien.
Lâcher prise, ce n'est pas juger,
mais permettre à un autre d'être un être humain.
Lâcher prise, ce n'est pas essayer de déterminer tout ce qui va arriver,
mais c'est permettre aux autres d'influer sur ce qui va leur arriver.
Lâcher prise, ce n'est pas être protecteur,
mais permettre à un autre d'affronter la réalité.
Lâcher prise, ce n'est pas renier, mais accepter.
Lâcher prise, ce n'est pas harceler, gronder ou argumenter,
mais chercher mes propres défauts et les corriger.
Lâcher prise, ce n'est pas adapter toutes choses à mes désirs,
mais c'est prendre chaque jour comme il vient.
Lâcher prise, ce n'est pas critiquer et diriger autrui,
mais essayer de devenir ce que je rêve d'être.
Lâcher prise, ce n'est pas regretter le passé,
mais grandir et vivre pour l'avenir.
Lâcher prise, c'est craindre moins et aimer davantage !

3.C.3 La grâce nous encourage à rester humbles

« Dieu résiste aux orgueilleux, mais il accorde sa grâce aux humbles. » (Jacques 4.6 ; 1 Pierre 5.5 ; Proverbes 3.34)

L'humilité est autant une condition qu'un résultat de la grâce. La grâce de Dieu aide le croyant à comprendre qu'il ne peut marcher comme Dieu le désire par sa seule force naturelle. Dieu nous demande de marcher sur un chemin surnaturel, rempli de l'Esprit et de grâce, où le croyant dépend entièrement de cette provision divine.

3.C.4 La grâce nous donne une force surnaturelle nous permettant de faire face aux circonstances difficiles

« Et il m'a dit : Ma grâce te suffit, car ma puissance s'accomplit dans la faiblesse (…) » (2 Corinthiens 12.9)

Paul écrit qu'il a été emmené au troisième ciel et qu'il a reçu une écharde dans la chair pour l'empêcher de s'enorgueillir. Paul a demandé trois fois à Dieu qu'il ôte cette écharde, et la réponse du Seigneur a été que sa grâce suffit. Si la grâce de Dieu suffit pour nous sauver, c'est qu'elle va pleinement nous garder et nous fortifier dans les temps de souffrance et de faiblesse. Dieu permet des temps de faiblesse dans nos vies pour que nous puissions recevoir sa force.

3.C.5 La grâce influence notre manière de nous exprimer

« Comportez-vous avec sagesse envers ceux du dehors. Rachetez le temps. Que votre parole soit toujours accompagnée de grâce, assaisonnée de sel, pour que vous sachiez comment vous devez répondre à chacun. » (Colossiens 4.5-6)

Le mot « grâce » signifie ici agréable, séduisant, courtois, sain, sensible, aimable, approprié, gentil, aimant et réfléchi.

Des paroles remplis de grâce reflètent la grâce de Christ, qui utilise notre bienveillance pour en attirer d'autres à lui.

« Tous lui rendaient témoignage, étonnés des paroles de grâce qui sortaient de sa bouche. » (Luc 4.22).

3.C.6 La grâce nous permet de nous donner (donner de nous-mêmes) aux autres

« Nous vous faisons connaître, frères, la grâce de Dieu qui s'est manifestée dans les Églises de Macédoine. » (2 Corinthiens 8.1)

Dans 2 Corinthiens 8 et 9, l'apôtre Paul écrit au sujet d'une collecte organisée par les églises pour les chrétiens pauvres de Jérusalem. Dans ces chapitres, il utilise le mot « grâce » (*charis*) dix fois. La grâce est donc pour lui un synonyme de générosité chrétienne, qui représente le trop-plein de la grâce de Dieu dans et à travers nos vies. Si nous comprenons et apprécions sincèrement la grâce de Dieu à l'égard des pécheurs comme nous, nous serions motivés à exprimer cette grâce, et à la partager avec d'autres. La grâce de Dieu va ouvrir notre cœur et notre main, parce qu'un cœur ouvert ne peut garder la main fermée. Bien que le contexte de ces versets soit la générosité financière, il peut être étendu et appliqué à d'autres façons de donner (du temps, de l'énergie, de l'amour, des soins et de la compassion). En effet, la grâce de Dieu pour nous est tellement abondante que nous pouvons à notre tour être généreux envers d'autres de manières différentes. Les croyants sont des canaux de la grâce de Dieu face aux besoins d'autres personnes.

Face à l'importance de la grâce présentée dans la Bible et dans la vie des chrétiens, il n'est pas étonnant que dans l'église primitive, les membres se le rappelaient constamment. L'expression « Grâce et paix vous accompagne… », en ouverture ou en fermeture de bénédiction était récurrente dans les lettres de Paul et de Pierre (Gal. 1:1; Eph. 1:1; 2 Tite 1:1; 1 Pierre 1:2; 2 Pierre 1:2).

> **Discussion :**
> Dans la parabole du fils prodigue (Luc 15.11-32), Jésus nous donne une très belle illustration de la grâce de Dieu (le « père » dans la parabole) envers ses enfants, et montre également la difficulté de vivre par la grâce et de la partager avec d'autres. Lisez cette parabole et discutez des questions suivantes :

PARTAGER SA VIE   DEUXIÈME LEÇON

> 1. Comment voit-on la grâce du père :
>   a) Envers son fils cadet ; b) Envers son fils aîné ?
> 2. Qu'est-ce qui vous montre que dans cette parabole les deux fils ont autant de peine à recevoir la grâce ?
> 3. Le fils aîné n'était pas préparé à montrer de la grâce envers son frère. Est-ce que vous pouvez le comprendre, et est-ce que vous reconnaissez cette même attitude dans votre vie ?

4 Développer une attitude de grâce envers les musulmans

Nous avons vu que la grâce est liée à la personne même de Dieu et à ce qu'Il fait, c'est pourquoi elle devrait être une caractéristique essentielle des chrétiens. Nous aimerions maintenant appliquer ce que nous avons appris sur la grâce à notre attitude envers l'islam et les musulmans. À la place de la peur, de la suspicion et des préjugés, notre réponse à l'islam et aux musulmans devrait être remplie de grâce.

Dans son livre *Grace for Muslims ?* (La Grâce pour les musulmans ?), l'auteur, Steve Bells, définit une attitude de grâce comme suit :

« Une attitude de grâce est 'la volonté de passer outre le mécanisme réflexe de notre cerveau qui nous pousse à craindre ce qui n'est pas familier chez une autre personne ; être préparé à donner à l'autre le bénéfice du doute et faire un effort pour comprendre pourquoi il/elle se comporte d'une telle façon' ».

Une attitude animée par la grâce envers les musulmans consiste en six éléments :

4.1 Appliquer la règle d'or

Dans le Sermon sur la Montagne, Jésus a encouragé ses disciples : « Tout ce que vous voulez que les gens fassent pour vous, vous aussi, faites-le de même pour eux : c'est là la Loi et les Prophètes. » (Matthieu 7.12).

DEUXIÈME LEÇON PARTAGER SA VIE

En obéissance à cette « règle d'or », lorsque nous sommes en relation avec l'islam et les musulmans, nous devrions :

1) <u>Juger l'islam d'une manière appropriée</u>

Lorsque nous évaluons l'islam, nous devons utiliser les mêmes critères d'évaluation que nous aimerions voir utilisés à notre égard. Nous ne devrions pas comparer le pire de l'islam avec le meilleur du christianisme. Par exemple, comparer l'emploi de la violence par les musulmans avec les paroles de Jésus : « Je suis venu apporter la paix », ou comparer le mariage de Mahomet avec la vision biblique du mariage.

2) <u>Être conscient des erreurs du christianisme commises dans le passé</u>

Dans l'histoire de l'Église, nous trouvons de nombreuses choses qui ont été faites au nom du christianisme mais qui ne reflétaient pas la vérité biblique. Si nous en sommes conscients, nous serons plus à même de démontrer de la grâce envers d'autres, selon le proverbe d'après lequel : « Avant de voir la paille qu'il y a dans l'œil de son voisin, il convient de voir la poutre qu'il y a dans le sien. »

3) <u>Examiner l'intention des musulmans</u>

Lorsque nous nous penchons sur les problématiques de base où l'islam est en désaccord avec le christianisme, nous pouvons nous demander quelle était l'intention originelle de Mahomet par rapport à chacun de ces points et de quelle façon cela devrait diriger le musulman. Par exemple, de nombreux musulmans expliquent que Mahomet désirait améliorer la position de la femme, par rapport à ce qu'elle était à son époque.

Souvent, quand nous parlons des musulmans dans nos pays, nous croyons connaître leurs intentions, mais nous ne leur avons pas posé la question.

4) <u>Éviter de faire des stéréotypes</u>

Les stéréotypes mettent les gens dans des catégories et réduisent des situations complexes à des formes simplistes sans comprendre la globalité de la situation. Ils dépersonnalisent les individus. Nous devrions être attentifs à ne pas attribuer à tous les musulmans des opinions et attitudes qui sont caractéristiques d'un petit nombre de musulmans seulement.

4.2 Aimer notre voisin musulman comme nous nous aimons nous-mêmes

Le peuple d'Israël avait reçu des directives sur comment se comporter avec les voisins, les étrangers au milieu d'eux, ainsi qu'avec leurs ennemis. Ils devaient aimer leurs voisins comme eux-mêmes (Lévitique 19.18) ; aimer l'étranger comme eux-mêmes (Lévitique 19.34). Jésus encourage ses disciples à aimer leurs ennemis (Matthieu 5.44). Les chrétiens sont encouragés à refléter l'attitude de Dieu à l'égard des voisins, des étrangers ou des ennemis.

Cela signifie entre autres : ne pas les maltraiter ni les opprimer, chercher à les comprendre (Exode 22.21 ; 23.9), être aimable avec eux dans les difficultés (Exode 23.4-5), les bénir, ne pas se venger et leur faire du bien (Romains 12.14-21 ; Proverbes 25.21-22).

4.3 Ne pas porter de faux témoignage contre mon voisin musulman

L'un des 10 commandements est de ne pas porter de faux témoignage contre son prochain (Exode 20.16). Si nous l'appliquons à l'islam, cela signifie que lorsque nous nous exprimons sur l'islam, nous cherchons à le faire en vérité. Il peut arriver que par peur, les gens exagèrent les situations (ex. Nombres 13 : les dix espions ont exagéré leur perception négative du pays de Canaan pour empêcher le peuple d'Israël d'y entrer). Essentiellement, l'islam est ce que le musulman en dit. Nous devrions être attentifs lorsque nous interprétons le Coran, et ne pas sortir des versets hors de leur contexte, sans prendre en considération la façon dont ils ont été interprétés par les experts musulmans. Nous devrions être prêts à écouter les musulmans et à apprendre à voir le monde comme eux le voient.

4.4 Être prêt à reconnaître les aspects positifs de l'islam

Dans Genèse 20.1-18, Abraham, qui pensait « *qu'il n'y avait certainement aucune crainte de Dieu en ce lieu* [dans le pays de Guérar] » *(20.11)*, découvrit que des gens hors du peuple d'Israël (dont Abimélek, roi de Guérar) avaient une vraie crainte de Dieu et pouvaient même L'entendre et Lui répondre. Ils avaient une communication directe avec Dieu (Genèse 20.1-18).

Un autre aspect d'une attitude de grâce envers les musulmans est notre disponibilité à reconnaître certains des aspects positifs de l'islam, de Mahomet, de la civilisation islamique, de son histoire et de sa culture. Nous devrions être capables de découvrir les caractéristiques positives des musulmans et de l'islam, être prêts à apprendre d'eux et à être défiés dans notre propre relation avec Dieu. Nous devrions chercher des traces de la grâce de Dieu dans l'islam, et pouvoir apprécier ce qui en fait une religion attirante et raisonnable pour des millions de personnes.

4.5 Être capable de voir les musulmans comme des êtres humains

La grâce de Dieu nous permet de voir les musulmans en tant qu'êtres humains qui ont une foi particulière et non comme des représentants d'un système religieux. Il est important de voir que derrière cette femme voilée se cache une maman qui s'appelle Samira, que le musulman d'en face s'appelle Hassan, un père de famille qui travaille dur, que cet autre musulman immigré est aussi un jeune garçon ou une jeune fille au nom d'Hossein ou de Khadija, avec de grands espoirs pour l'avenir, ou encore que Samir, ce musulman fondamentaliste est en réalité rempli de peurs.

4.6 Reconnaître les promesses dans la Bible qui s'appliquent aux musulmans

Beaucoup de musulmans dans le monde arabe se considèrent des descendants d'Abraham, par Ismaël. Selon Tony Maalouf dans son livre *Arabs in the Shadow of Israel,* des rapports historiques ont établi un lien formel entre Ismaël et les populations arabes de l'Antiquité.

A la lumière ce fait-là, il est important de se rappeler que Dieu a fait des promesses aux descendants d'Ismaël. Dans Genèse 17.20, Dieu promet, en réponse à la prière d'Abraham, de bénir Ismaël. Le choix d'Isaac (et d'Israël) ne prive pas Ismaël et ses descendants des sollicitudes spirituelles et matérielles de Dieu. On voit dans la Bible la façon dont Dieu prend soin d'Agar et d'Ismaël. Dans Genèse 25.13-18 nous avons même la liste des fils d'Ismaël tels que **Nebajoth** et **Kédar**.

La Bible contient plusieurs textes prophétiques pour les tribus arabes, descendantes d'Ismaël :

« Chantez pour le Seigneur un chant nouveau, Chantez sa louange depuis les extrémités de la terre, vous qui voyagez sur la mer et vous qui la remplissez, les îles et leurs habitants ! Que le désert et ses villes élèvent la voix, ainsi que les villages où habite **Qédar** *! Que les habitants de* **Séla** *poussent des cris de joie ! Que du sommet des montagnes ils lancent des cris de triomphe ! Qu'on rende gloire au Seigneur et que dans les îles on dise sa louange ! » (Ésaïe 42.10-12)*

« Tu seras couverte d'une foule de chameaux, de dromadaires de **Madiân** *et d'***Epha** *; ils viendront tous de* **Saba** *; ils porteront de l'or et de l'encens et annonceront, comme une bonne nouvelle, les louanges du Seigneur Les troupeaux de* **Qédar** *se rassembleront tous chez toi ; les béliers de* **Nebayoth** *seront pour ton office ; ils seront offerts en holocauste sur mon autel et seront agréés, et je ferai resplendir la maison de ma splendeur. Qui sont ceux–là qui volent comme un nuage, comme des colombes vers les fenêtres de leur colombier ? » (Ésaïe 60.6-8)*

Selon des Pères de l'Eglise primitive (Justin Martyn par exemple), les mages qui sont venus de l'est pour adorer le roi des Juifs étaient probablement des Arabes.

Dieu est à l'œuvre dans le monde musulman. Les musulmans trouvent la foi en Christ dans le monde entier, Dieu se révèle à eux par des rêves et des visions. L'Église grandit dans différentes parties du monde musulman.

Le prophète Ésaïe a prophétisé contre le pays/tribu de Koush, que les experts modernes identifient à une tribu arabe, probablement dans le nord du Soudan actuel. Ésaïe parlait d'eux ainsi : « *Toi qui envoies sur la mer des émissaires, dans des embarcations de jonc, sur les eaux ! Allez, messagers rapides, vers une nation élancée et luisante, vers un peuple redoutable depuis qu'il existe, une nation puissante qui écrase tout et dont le pays est sillonné de fleuves.* » (Ésaïe 18.2).

Il conclut sa prophétie par une promesse magnifique, que ce même peuple, qui terrorisait tant de monde, apportera des présents au Seigneur tout-puissant :

« *En ce temps-là, des offrandes seront apportées au Seigneur des Armées par un peuple élancé et luisant, par un peuple redoutable depuis qu'il existe, une nation puissante qui écrase tout et dont le pays est sillonné de fleuves ; elles seront apportées au lieu où réside le nom du Seigneur des Armées, au mont Sion.* » (Ésaïe 18.7)

Est-ce que nous pouvons croire que des musulmans fondamentalistes, qui terrifient de nombreuses personnes, deviendront un peuple qui apportera des présents avec crainte et respect au Seigneur tout-puissant ?

A FAIRE POUR LA PROCHAINE LEÇON

1. Relisez la parabole du fils prodigue (luc 15.11 à 32) plusieurs fois avant la prochaine leçon. Dans lequel des trois personnages (père, fils prodigue, frère aîné) vous reconnaissez-vous ? Comment la grâce est-elle donnée et reçue par chacun d'entre eux et de quelle manière devriez-vous plus devenir comme le père, particulièrement lorsqu'il s'agit d'être donneur de grâce ?

2. Méditez la prière de saint François d'Assise durant la semaine qui vient.

PARTAGER SA VIE   DEUXIÈME LEÇON

> **Prière de saint François d'Assise**
>
> *Seigneur, fais de moi un instrument de ta paix.*
> *Là où il y a de la haine, que je mette l'amour.*
> *Là où il y a l'offense, que je mette le pardon.*
> *Là où il y a la discorde, que je mette l'union.*
> *Là où il y a l'erreur, que je mette la vérité.*
> *Là où il y a le doute, que je mette la foi.*
> *Là où il y a le désespoir, que je mette l'espérance.*
> *Là où il y a les ténèbres, que je mette votre lumière.*
> *Là où il y a la tristesse, que je mette la joie.*
>
> *Ô Maître, que je ne cherche pas tant à être consolé qu'à consoler,*
> *à être compris qu'à comprendre,*
> *à être aimé qu'à aimer,*
> *car c'est en donnant qu'on reçoit,*
> *c'est en s'oubliant qu'on trouve,*
> *c'est en pardonnant qu'on est pardonné,*
> *c'est en mourant qu'on ressuscite à l'éternelle vie.*

Histoire de Saint François d'Assise

François d'Assise (1182 à 1226) était un catholique italien, moine et prédicateur. Il a fondé l'ordre des franciscains. Lorsque les croisés se sont rendu au Moyen-Orient afin de combattre les musulmans avec des armes, François parcourait les terres de la région en tant qu'apôtre de grâce. Il a prêché l'Evangile au Sultan, le général des armées musulmans. Steve Bell décrit Saint François comme un « chrétien qui avait un équilibre entre le réalisme politique et une attitude remplie de grâce envers les musulmans ».

Dans son livre *Waging Peace on Islam*, Christine A. Mallouhi considère François comme un exemple, quelqu'un qui a su tisser des liens avec les musulmans à une époque d'animosité.[4] « *C'est une fois que cette*

---

[4] En apprendre plus au sujet de François d'Assise et ce que nous pouvons apprendre de lui et notre contact avec les musulmans, je recommande de lire *Waging Peace on Islam* de Christine A. Mallouhi, (London, Monarch Books, 2000).

DEUXIÈME LEÇON   PARTAGER SA VIE

prière de François d'Assise sera répondue à travers nous que nous serons capables de 'tout excuser, tout croire, tout espérer et de tout supporter' (1 Cor 13.7). C'est une réaction biblique plutôt qu'humaine envers les musulmans. »

TROISIÈME LEÇON   PARTAGER SA VIE

TROISIÈME LEÇON : COMPRENDRE LES MUSULMANS

Objectif : Apprendre à connaître plusieurs aspects clés de la foi et de la pratique religieuse de l'islam.

1   Introduction

Nous avons examiné notre attitude et nos émotions face à l'islam et aux musulmans et nous commençons à apprendre à approcher les musulmans avec une attitude remplie de grâce. Nous sommes maintenant prêts à recevoir une information pertinente sur l'islam et sur les musulmans. Dans la leçon précédente, nous avons appris que l'un des aspects d'une attitude remplie de grâce est de regarder l'islam au travers des yeux d'un musulman. C'est pourquoi le contenu de cette leçon se base sur des sources musulmanes. En outre, cette leçon a été approuvée par un imam.

2   Jonas dans l'islam

Dans la leçon précédente, nous avons étudié le prophète Jonas selon la perspective biblique. Dans cette leçon, nous allons découvrir ce que l'islam enseigne au sujet de Jonas. Selon les traditions islamiques, la tombe du prophète Jonas (appelé *nabi Yunus* en arabe) se trouve à Mossoul, environ 400 km au nord de Bagdad en Irak. La tombe de Jonas se trouve dans la mosquée Yunus, et est décorée d'os de baleine.

A   *Références à Jonas dans le Coran*

Le nom et/ou l'histoire de Jonas se trouve dans les versets suivants du Coran :

Sourate (chapitre) 4.163 ; Sourate 10.98-100 ; Sourate 21.87-88 ; Sourate 37.138-148 ; Sourate 68.48- 50.

La Sourate 10 porte le nom de Jonas. Dans la Sourate 21.87-90 Jonas est appelé « l'homme au poisson » et dans la Sourate 68.48-50 il est appelé « l'homme dans la baleine »[5].

« *Endure avec patience la sentence de ton Seigneur, et ne sois pas comme l'homme au poisson (Jonas) qui appela Allah dans sa grande angoisse. Si un bienfait de son Seigneur ne l'avait pas atteint, il aurait été rejeté honni sur une terre déserte. Puis son Seigneur l'élut et le désigna au nombre des gens de bien.* » (Sourate 68.48-50)

« *Et Dun-Nun [Jonas] quand il partit, irrité. Il pensa que Nous n'allions pas l'éprouver. Puis il fit, dans les ténèbres, l'appel que voici : "Pas de divinité à part toi ! Pureté à Toi ! J'ai été vraiment du nombre des injustes." Nous l'exauçâmes et le sauvâmes de son angoisse. Et c'est ainsi que Nous sauvons les croyants.* » (Sourate 21.87-88)

« *Jonas était certes, du nombre des Messagers. Quand il s'enfuit vers le bateau comble, il prit part au tirage au sort qui le désigna pour être jeté (à la mer). Le poisson l'avala alors qu'il était blâmable. S'il n'avait pas été parmi ceux qui glorifient Allah, il serait demeuré dans son ventre jusqu'au jour où l'on sera ressuscité. Nous le jetâmes sur la terre nue, indisposé qu'il était. Et nous fîmes pousser au-dessus de lui un plant de courge, et l'envoyâmes ensuite (comme prophète) vers cent mille hommes ou plus. Ils crurent, et nous leur donnâmes jouissance de la vie pour un temps.* » (Sourate 37.139-148)

« *Si seulement il y avait, à part le peuple de Yûnus (Jonas), une cité qui ait crut et à qui sa croyance eût ensuite profité ! Lorsqu'ils eurent cru, Nous leur enlevâmes le châtiment d'ignominie dans la vie présente et leur donnâmes jouissance pour un certain temps. Si ton Seigneur l'avait voulu, tous ceux qui sont sur la terre auraient cru. Est-ce à toi de contraindre les gens à devenir croyants ? Il n'appartient nullement à une âme de croire si ce n'est avec la permission d'Allah. Et Il voue au châtiment ceux qui ne raisonnent pas.* » (Sourate 10.98-100)

---

[5] Selon la version anglaise, dans la version française, il est également appelé « l'homme au poisson » dans cette Sourate *(note du traducteur)*.

B   Résumé de l'enseignement islamique sur Jonas

Sur la base de ces versets, et également de plusieurs traditions islamiques (= Hadith, des écrits sur ce que Mahomet a dit et fait), nous pouvons résumer l'enseignement islamique sur Jonas de cette façon :

Jonas était un prophète envoyé par Dieu vers son propre peuple dans la ville de Ninive. Les habitants de Ninive étaient idolâtres et vivaient dans l'immoralité. Jonas a été envoyé pour les enseigner à adorer Dieu. Les gens n'ont pas aimé son ingérence dans leur façon d'adorer et ont dit : « Nous et nos ancêtres avons adoré ces dieux depuis de nombreuses années et rien de mal ne nous est arrivé. » Il essaya tant qu'il put de les convaincre de la bêtise de leur idolâtrie et de la bonté des lois d'Allah, mais sans succès. Il les a avertis que s'ils continuaient dans leur folie, la punition d'Allah viendrait. Au lieu de craindre Allah, ils ont dit à Jonas qu'ils n'avaient pas peur de ses menaces. Jonas fut découragé et quitta Ninive, craignant que la colère de Dieu se manifeste.

A peine avait-il quitté la ville que le ciel commença à changer de couleur, comme s'il était en feu, et les gens furent remplis de peur. Ils se souvinrent de la destruction du monde au temps de Noé. Ils se sont alors rassemblés sur une montagne et ont imploré la miséricorde et le pardon d'Allah. Allah renonça à sa colère et manifesta sa bénédiction sur eux une fois de plus. Après que l'orage menaçant fut parti, les habitants de Ninive prièrent pour le retour de Jonas, pour qu'il soit leur guide.[6] Entre temps, Jonas avait embarqué sur un petit bateau, en compagnie d'autres passagers. Toute la journée les eaux restèrent calmes, mais quand la nuit fut venue, la mer se mit à changer. Un orage terrifiant se leva et menaça de briser le bateau. Le chef d'équipage demanda aux passagers d'alléger le poids du bateau. Ils

---

[6] Selon Razi dans son commentaire sur le Coran, c'est lors du jour de l'Ashura (jour de jeûne) que les gens de Ninive changèrent (dans la synagogue juive, lors du jour de jeûne du 9e jour du mois Av, Tisja Ba'av, les lectures sont faites à partir du livre de Jonas lors des prières de l'après-midi).

PARTAGER SA VIE **TROISIÈME LEÇON**

passèrent leurs bagages par-dessus bord, mais ce n'était pas assez. Pour être en sécurité, il fallait encore réduire le poids. Ils décidèrent alors de le faire en se débarrassant d'au moins une personne. Le capitaine ordonna de tirer au sort le nom des passagers. Le nom qui sera tiré sera jeté dans la mer. Ils tirèrent au sort et le nom de Jonas apparut. Ils savaient que Jonas était le passager le plus honorable parmi eux, alors ils ne voulaient pas le jeter dans la mer, c'est pourquoi ils tirèrent au sort une deuxième fois. Le nom de Jonas fut encore tiré. Ils lui donnèrent une dernière chance en tirant une troisième fois au sort, mais c'est de nouveau le nom de Jonas qui apparut. C'en était fait, et il fut décidé que Jonas serait jeté à la mer. Alors que le corps de Jonas flottait dans les mers, une baleine le trouva et l'avala. Trois couches d'obscurité enveloppèrent Jonas : l'obscurité de l'estomac de la baleine, l'obscurité du fond de la mer et l'obscurité de la nuit. Jonas pria Allah qui vit la repentance sincère de Jonas et entendit sa supplication. La baleine cracha Jonas sur une île déserte. Son corps était enflammé par l'acide de l'estomac de la baleine. Il était malade. Quand le soleil se leva, les rayons brûlèrent encore plus son corps et il voulut crier de douleur ; mais il l'endura et continua à répéter ses invocations à Allah. Allah fit alors pousser une vigne de manière à lui faire de l'ombre et le protéger. Puis Allah rétablit Jonas et lui pardonna. Petit à petit, il retrouva ses forces et retourna dans sa ville, Ninive. Il fut agréablement surpris de voir le changement qui s'était produit. La population entière l'accueillit et l'informa qu'ils avaient choisi de croire en Allah. Ensemble ils firent une prière de reconnaissance au Seigneur miséricordieux.

C   *Jonas dans la vie des musulmans d'aujourd'hui*

Aujourd'hui, pour beaucoup de musulmans, Jonas est une personne à laquelle ils devraient s'identifier :

a. Un étudiant musulman a écrit sur Internet que pour réussir son examen, il faut réciter la prière que Jonas fit dans le ventre de la baleine.

TROISIÈME LEÇON   PARTAGER SA VIE

b. Deux jeunes filles musulmanes ont posé la question de savoir s'il était possible de s'enfuir de chez soi. Un cyber-imam leur répondit que s'enfuir de la maison est un thème mentionné dans le Coran. Il se référa à Jonas et écrivit : « Le prophète Jonas tenta de s'enfuir de chez lui, la place où Dieu l'avait placé, et comme punition, Allah envoya une baleine pour avaler Jonas. Jonas passa 40 jours dans l'estomac de la baleine. Puis Allah pardonna Jonas et lui donna une deuxième vie. »
c. Dans le sermon d'un imam, Jonas est cité en exemple : quelqu'un qui, du fond de ses ténèbres, était prêt à se soumettre (le même mot que « islam ») à Dieu.

> Discussion :
> 1. Qu'est-ce qui est significatif pour vous quand vous comparez le récit biblique sur Jonas avec ce qui se trouve dans le Coran et dans les traditions islamiques ?
> 2. Comment en expliquez-vous les similarités et les différences ?

Différents aspects de l'islam

1   Le commencement de l'islam

Bien que l'islam, en tant que religion indépendante, débute au VII siècle après Jésus-Christ, les musulmans estiment que l'origine de l'islam est bien antérieure. Dans la Sourate 3.67 nous lisons : « *Abraham n'était ni juif ni chrétien. Il était entièrement soumis à Allah. Et il n'était point du nombre des Associateurs (polythéistes)* ».

Le mot « islam » signifie « soumission » et un musulman est « celui qui se soumet » à Dieu. Abraham est considéré comme le père des prophètes et beaucoup de musulmans croient qu'ils sont descendants d'Abraham par son fils Ismaël. Ismaël joue un rôle important dans les traditions islamiques.

PARTAGER SA VIE   TROISIÈME LEÇON

2 La personne de Mahomet

Mahomet est né en 571 à La Mecque (Arabie Saoudite actuelle). Son père mourut avant sa naissance et sa mère mourut quand il avait 6 ans. À l'âge de 25 ans, il se maria avec Khadija, une veuve. Selon les musulmans, c'est à l'âge de 40 ans qu'il commença à avoir des révélations de Dieu (Allah). Il était convaincu de suivre les traces des prophètes tels que Moïse, David et Jésus. En tant que dernier des prophètes, il devait demander aux gens de n'adorer que le seul vrai Dieu et se détourner des nombreux dieux que les habitants de La Mecque adoraient. Mahomet les a invité à « islam » (= se soumettre à Dieu). Plusieurs personnes le rejoignirent et devinrent musulmans, tandis que les autres le rejetèrent. Petit à petit le nombre de disciples grandit. Mahomet et ses disciples firent face à beaucoup d'opposition dans un premier temps de la part des gens de La Mecque, et après douze ans, ils s'établirent dans la ville de Yathrib (qui plus tard prit le nom de « Medina », ce qui signifie « la ville du prophète »). Ce changement a eu une influence considérable dans l'islam, et une façon de s'en rendre compte est que le calendrier islamique commence à cette date-là. À Yathrib, Mahomet et ses disciples furent très bien reçus et peu de temps après Mahomet devint, non pas seulement un responsable religieux, mais également un responsable politique de la ville. Il créa le premier État musulman. Dans les années qui suivirent, le nombre de disciples de Mahomet grandit rapidement. Mahomet, qui est décrit dans le Coran comme « *une bénédiction pour l'humanité* » (21.107), et « *un bon exemple à suivre* » (33.21), mourut en 632 ap. J.-C., à l'âge de 63 ans. Après sa mort les révélations qu'il avait reçues furent rassemblées dans un livre, le Coran. D'autres citations de lui, ainsi que son exemple de vie ont été rassemblés dans une série de livres appelés Sunna.

3 L'expansion de l'islam

Quand Mahomet mourut en 632 ap. J.-C., les musulmans se trouvaient principalement en Arabie Saoudite, mais dans les années qui suivirent, l'islam se répandit au nord (Syrie, Jordanie), à l'est (Iran et

TROISIÈME LEÇON — PARTAGER SA VIE

Irak) et à l'ouest (Égypte, Algérie). Autour de 750 ap. J.-C., toute l'Afrique du Nord et même l'Espagne se trouvaient sous le règne islamique. Plus de 1 500 endroits d'Afrique et d'Asie étaient devenus islamiques et même l'Indonésie faisait partie du monde musulman. Au XIV siècle, l'Empire ottoman commença en Turquie. Cet empire eut une énorme influence sur le Moyen-Orient et l'Europe centrale durant plusieurs siècles et a contribué à l'établissement de l'islam en Europe centrale et de l'Est, comme par exemple en Albanie et en Bosnie.

Actuellement, l'islam est la religion dominante dans 40 pays du monde. Les Arabes constituent 20 % de tous les musulmans. De nombreux musulmans en Indonésie (196 millions), au Pakistan (166 millions), au Bangladesh (150 millions), en Inde (150 millions), au Nigéria (70 millions), en Turquie (70 millions), et en Iran (68 millions). En Europe (Russie incluse), il y a environ 50 millions de musulmans.

4   Ce que croient les musulmans

L'enseignement de la foi dans l'islam contient souvent six piliers :

1) Allah (Dieu) ;
2) Les Anges ;
3) Les Livres Sacrés ;
4) Les Prophètes ;
5) Le Jour Dernier ;
6) Le Destin.

Cinq d'entre eux sont mentionnés dans la Sourate 2 :177 « *...Vertueux sont ceux qui croient en Dieu et au jour dernier, aux Anges, au Livre et aux prophètes...* »

Les trois doctrines essentielles dans l'islam sont :

a) *Tawhid* – l'unicité d'Allah ;
b) *Risalah* – le message prophétique ;
c) *Akhirah* – la vie après la mort.

a   Tawhid

Tawhid est la doctrine islamique la plus importante. Les musulmans croient que tout ce qui existe trouve son origine dans le seul et unique créateur, qui pourvoit et est la seule direction divine. Cette doctrine devrait diriger tous les aspects de la vie humaine. La reconnaissance de cette vérité fondamentale amène une perspective de la vie unifiée rejetant toute division entre le religieux et le séculier. Dieu (Allah) est la seule source de puissance et d'autorité, et lui seul doit être adoré et obéi. Il n'a pas de partenaire ; *Tawhid* c'est le monothéisme à l'état pur. Allah n'est pas né, et il n'a pas de fils ou de fille. Les êtres humains sont ses sujets. Il est le seul, l'Éternel. Il est le premier et le dernier, il n'y a personne comme lui. La doctrine du *Tawhid* amène un changement radical dans la vie d'un musulman. Il n'adore qu'Allah, celui qui voit toutes ses actions. Il doit travailler pour établir les lois d'Allah dans tous les domaines de sa vie, ceci pour obtenir la satisfaction d'Allah.

b   Risalah

Risalah se réfère au rôle du prophète. Les musulmans croient que Dieu (Allah) n'a pas laissé l'être humain sans direction pour savoir comment se comporter dans la vie. Depuis la création du premier homme, Allah a révélé ses directives et ses conseils aux êtres humains par les prophètes. Les prophètes ayant reçu des livres d'Allah sont appelés messagers. Tous les prophètes et les messagers sont venus avec le même message ; ils ont exhorté les gens de leur époque à obéir Allah et à l'adorer, lui seul et aucun autre. Lorsque les enseignements d'un prophète ont été déformés par des gens, Allah a envoyé un autre prophète pour les ramener sur le droit chemin. La chaîne des prophètes, *Risalah*, commença avec Adam, puis Noé, Abraham, Ismaël, Isaac, Lot, Jacob, Joseph, Moïse, David et Jésus, et se termina avec Mahomet. Mahomet est le messager final d'Allah pour l'humanité. Les livres révélés, donnés par Dieu, sont :

TROISIÈME LEÇON — PARTAGER SA VIE

la Torah (*Tawrat*), les Psaumes (*Zabur*), l'Évangile (*Injil*), et le Coran. Le Coran, révélé au prophète Mahomet, est le dernier livre de la direction divine d'Allah.

c   Akhirah

Akhirah signifie la vie après la mort. La croyance en *Akhirah* a un impact profond dans la vie d'un musulman. Les musulmans croient que tous sont redevables à Dieu et qu'au jour du jugement ils seront jugés en fonction de la façon dont ils auront vécu leur vie. Une personne ayant obéi à Dieu et l'ayant adoré sera récompensée par une place de jouissance au paradis ; la personne qui n'aura pas agi de la sorte sera envoyée en enfer, un endroit de punition et de souffrance. Allah connaît toutes nos pensées et nos motivations intérieures ; les anges enregistrent nos actions. Si nous nous rappelons constamment que nous serons jugés en fonction de nos actions, nous ferons en sorte d'agir selon la volonté d'Allah. Les musulmans croient que la plupart des problèmes d'aujourd'hui disparaîtraient si nous avions conscience de cet état de fait, et que nous agissions en conséquence.

5   Les devoirs religieux de base dans l'islam

Dans l'islam il existe cinq devoirs de base, souvent appelés « les piliers de l'islam ». Les musulmans croient que s'ils sont pratiqués régulièrement, correctement et sincèrement, ils transformeront leur vie, et leur permettront d'être en accord avec les désirs du créateur. Une pratique fidèle de ces devoirs devrait motiver le musulman à rechercher la justice, l'égalité et la droiture dans la société, et à éradiquer l'injustice, la fausseté et la méchanceté.

a   Shahada

Shahada est la déclaration volontaire et délibérée de *La ilaha illallahu Muhammadur rasulullah*, « Il n'y a pas d'autre dieu que Dieu, et Mahomet est son prophète ».

PARTAGER SA VIE　　　　　　　　　　TROISIÈME LEÇON

Cette déclaration contient les deux concepts de base du *Tawhid* et du *Risalah*. C'est la base de toute action dans l'islam. Les quatre autres devoirs se basent sur cette affirmation.

b   Salat (prière imposée)

La *Salat* est accomplie cinq fois par jour, soit dans la congrégation, soit de manière individuelle. C'est une démonstration pratique de la foi, et elle aide le musulman à être en contact constant avec son créateur. Selon les musulmans, les bénéfices de la *Salat* sont d'une portée considérable, durables et non mesurables. La *Salat* prépare le musulman à travailler pour un ordre juste de la société, et l'éradication de la fausseté, du mal et de l'immoralité. Elle développe la discipline de soi, la fermeté et l'obéissance à la vérité. Elle développe la patience, l'honnêteté, la vérité dans les différents domaines de la vie.

Les cinq prières quotidiennes sont : *Fajr* entre l'aube et le lever du soleil ; *Zuhr* entre midi et le milieu de l'après-midi ; *'Asr* entre le milieu de l'après-midi et le coucher du soleil ; *Maghrib* juste après le coucher du soleil ; *'Isha* entre la tombée de la nuit et l'aurore. Les musulmans croient que faire la *Salat* cinq fois par jour leur permet d'améliorer leur vie. C'est considéré comme un entraînement spirituel, moral et physique qui rend le musulman réellement obéissant à son créateur.

c   Zakat (aumône)

La *Zakat* est un paiement obligatoire basé sur les économies annuelles du musulman. Cela signifie littéralement la purification, et représente un paiement annuel de 2,5 % de la valeur des liquidités, des bijoux et des métaux précieux. Un taux différent s'applique aux animaux, au bétail et aux richesses minérales. La *Zakat* n'est pas un impôt ni de la charité. La charité est optionnelle, et les impôts peuvent être utilisés pour tous les besoins de la société. La *Zakat*, cependant, ne peut être utilisée que pour aider les pauvres et ceux dans le besoin, les handicapés, les opprimés, et pour d'autres buts définis par le Coran et la Sunna.

TROISIÈME LEÇON — PARTAGER SA VIE

La *Zakat* est considérée comme un acte d'adoration. C'est l'un des principes fondamentaux de l'économie islamique. Dans une société équitable, chaque individu a le droit de contribuer et de partager. La *Zakat* devrait être payée en étant conscient que notre richesse et nos biens appartiennent à Dieu, et que nous sommes ses administrateurs.

d   Sawm (jeûne obligatoire)

Le *Sawm* est le jeûne annuel obligatoire durant le mois de Ramadan, le 9e mois du calendrier islamique. Depuis l'aube jusqu'au coucher du soleil, les musulmans se retiennent de manger, de boire, de fumer et d'avoir des relations sexuelles avec leur conjoint. Durant ce temps, ils ne cherchent qu'à plaire à Allah. Selon les musulmans, le *Sawm* développe les standards moraux et spirituels du croyant, et le protège de l'égoïsme, de la convoitise, de l'extravagance ainsi que d'autres vices. Le *Sawm* est considéré comme un programme d'entraînement annuel, qui développe la détermination du musulman à remplir ses obligations auprès de son créateur, celui qui pourvoit à tous ses besoins.

e   Hadj (pèlerinage à la maison d'Allah)

Le *Hadj* est un événement annuel, obligatoire une fois dans sa vie pour le musulman qui a les moyens de le faire. C'est un voyage vers la maison d'Allah (*Al-Kabah*) à La Mecque, en Arabie Saoudite, durant le mois de Dhul Hijjah, le 12e du calendrier islamique. Pour les musulmans, le *Hadj* symbolise l'unité de l'humanité. Les musulmans de toutes les nations se rassemblent humblement de manière équitable pour adorer Dieu.

Pour les musulmans, alors revêtus des habits rituels d'*Ihram*, le pèlerinage donne le sentiment unique d'être dans la présence du créateur, auquel ils appartiennent, et auprès de qui ils retournent après leur mort.

6 Sources d'autorité dans l'islam

Les deux sources d'autorité les plus importantes qui définissent la foi et les pratiques religieuses des musulmans sont le Coran et la Sunna, et les différentes écoles de loi déterminent également la foi et la pratique des musulmans.

a **Le Coran**

Le Coran est le livre sacré des musulmans. Ils croient que c'est le livre ultime contenant la direction divine d'Allah. Ce livre a été donné à Mahomet par l'ange Gabriel (*Jibra'il*). Selon les musulmans, chaque mot du Coran est un mot donné par Dieu. Il a été révélé sur une période de 23 ans en langue arabe et il contient 114 chapitres, appelés Sourates, avec plus de 6 000 versets. Les musulmans apprennent à réciter le Coran en arabe et nombreux sont ceux qui l'apprennent entièrement par cœur. Les musulmans doivent essayer de comprendre le Coran du mieux qu'ils peuvent et mettre ses enseignements en pratique. Ils croient que le Coran n'est pas comparable. Ses enseignements couvrent tous les aspects de la vie présente et de la vie après la mort. Il contient des principes, des doctrines et des directions pour chaque sphère de l'activité humaine. Trois aspects fondamentaux se trouvent tout au long du Coran : *Tawhid*, *Risalah*, et l'*Akhirah*. Selon les musulmans, le succès de l'être humain, dans sa vie sur la terre ainsi que dans l'au-delà, dépend de sa croyance et de son obéissance aux enseignements du Coran.

b **La Sunna**

La Sunna est l'exemple de vie de Mahomet. Elle contient les livres des *Ahadith* (sing. *Hadith*), qui sont une collection d'adages et d'actions du prophète, ainsi que des actions qu'il a approuvées. Elle montre comment mettre la direction divine du Coran en pratique. Selon les musulmans, les *Ahadith* ont été soigneusement rassemblés après la mort de Mahomet. Il en existe six collections spécifiques connues et considérées comme authentiques : Bukhari, Muslim, Tirmidhi, Abu Dawud, Nasai et Ibn Majah.

Dans les *Ahadith*, l'on trouve des sujets tels que les temps et les caractéristiques de la prière islamique, les rituels lors des différentes fêtes, comment accomplir son travail de manière islamique, l'héritage, le testament, les vœux et promesses, traiter avec les apostats, etc.

c   Écoles de loi

L'islam sunnite reconnaît quatre écoles de lois qui définissent la jurisprudence religieuse. Ces écoles ont été nommées selon leurs fondateurs :
1) l'école hanafiste (surtout en Turquie, dans les Balkans, en Asie Centrale, en Inde, au Pakistan et au Bangladesh) ;
2) l'école malékite (surtout en Afrique du Nord) ;
3) l'école chafiite (surtout au Yémen, en Égypte, en Syrie, au sud-est asiatique et dans l'est de l'Afrique) ;
4) l'école hanbalite (surtout en Arabie Saoudite).

Les différences entre les écoles ne résident pas dans les aspects fondamentaux de la foi islamique, mais dans des jugements plus spécifiques.

Ces différences se rapportent ainsi à des accents mis sur :
a) l'enseignement du Coran ;
b) la Sunna ;
c) le consensus des experts religieux ;
d) les similarités avec les situations du temps de Mahomet ;
e) le sens commun.

7   Différents groupes dans l'islam

Le nombre total de musulmans dans le monde est d'environ 1,5 milliard. Au sein même de l'islam, on peut identifier différents courants. Les deux groupes les plus importants sont les sunnites et les chiites. Environ 80 % des musulmans sont sunnites. Le deuxième groupe, environ 15 %, est constitué des musulmans chiites.

Les chiites se trouvent principalement en Iran et en Irak, mais également dans de nombreux autres pays. Une distinction importante entre les sunnites et les chiites est que ces derniers reconnaissent Ali, le beau-fils de Mahomet, ainsi que certains de ses descendants (qui sont reconnus comme imams) comme héritiers légaux de la direction politique et religieuse dans l'islam. Beaucoup de chiites croient en l'imam infaillible, une incarnation de Dieu qui possède une connaissance surnaturelle. Ils attendent le retour du 12e imam, qui a disparu en 869 ap. J.-C., et qui établira la domination mondiale de l'islam.

À côté de ces deux groupes principaux dans l'islam, nous pouvons identifier plusieurs courants minoritaires. Nous ne mentionnerons que les plus importants.

A   Les kharidjites [en arabe Khawarij (sing. Khariji), et qui signifie « ceux qui se séparèrent »]

Les kharidjites se sont séparés de l'islam chiite en 658 ap. J.-C. Ils refusèrent d'abandonner la forme radicale et puritaine de l'islam. Actuellement la seule branche contemporaine des kharidjites sont les musulmans ibadites qui se trouvent à Oman, en Algérie, en Tunisie, en Libye et à Zanzibar.

B   Le mouvement des ahmadiyyas

Le mouvement des ahmadiyyas est, dans l'islam, un mouvement international dynamique de réveil qui grandit très vite. Il a été fondé en 1889 par Mirza Ghulam Ahmad (1835-1908), qui prétendit avoir reçu des révélations divines, et qui est considéré comme le Messie tant attendu. Ahmad prétendit être la seconde venue métaphorique de Jésus de Nazareth et le guide divin, dont la venue avait été prédite par Mahomet. Les ahmadiyyas croient que Dieu a envoyé Ahmad, comme Jésus, pour en finir avec les guerres religieuses, condamner le sang versé et ramener la moralité, la justice et la paix. Selon ses disciples, Ahmad dépouilla l'islam des croyances fanatiques et de ses pratiques en prenant fait et cause pour les enseignements essentiels et vrais de l'islam. Les ahmadiyyas reconnaissent les enseignements de Zoroastre, Abraham, Moïse, Jésus, Krishna, Bouddha, Confucius, Lao-Tseu et Gourou

Nànak, et croient que leur enseignement converge vers le seul vrai islam. Ce mouvement a ses quartiers principaux en Grande-Bretagne, et estime avoir 10 millions d'adhérents dans le monde.

C Les bahaïs

Le bahaïsme a été fondé en 1844 quand Ali Muhamad (appelé *Baha'u'Ilah*) annonça être lui-même « La Porte » (*Bab*). Le message essentiel de Baha'u'Ilah était un message d'unité. Il enseigna qu'il n'y a qu'un seul Dieu, une seule race humaine et que toutes les religions du monde représentent des niveaux de la révélation de la volonté de Dieu et de ses buts pour l'humanité. Les bahaïs croient dans l'unité de Dieu et de l'humanité, l'égalité des sexes, l'harmonie entre la science et la religion, et la recherche indépendante de la vérité. Ils ne considèrent pas Mahomet comme le dernier et le plus grand prophète, mais comme un prophète parmi d'autres. Ils ne reconnaissent pas que le Coran soit la révélation finale, mais le considèrent comme un livre parmi d'autres, à l'égal des écrits de Baha'u'Ilah. Il est estimé qu'il y a environ 7 millions de bahaïs dans le monde. Cette communauté est souvent considérée comme apostate parmi les musulmans, et est persécutée dans certains pays islamiques.

D Le mouvement salafiste

Les salafistes sont un mouvement islamique sunnite qui considère comme modèles exemplaires leurs ancêtres pieux (*salaf*). Le mot « Salaf » est un nom arabe qui peut être traduit par « prédécesseur » ou « ancêtre ». Dans la terminologie islamique, ce mot est généralement utilisé en référence aux trois premières générations de musulmans. Ces trois générations sont vues comme des exemples de la façon dont l'islam devrait être pratiqué. Le terme « salafiste » est souvent utilisé comme synonyme de « wahhabisme », parce que Muhammad ibn Abd – Al-Wahhab (1703-1787) – est considéré comme fondateur de ce mouvement, bien que de nombreux adhérents déclarent que le mouvement a été fondé par Mahomet lui-même. Le mouvement salafiste est basé sur une tradition puritaine. Ils interprètent le Coran de manière littérale et rejettent tout ce que ne vient pas des sources originelles de l'islam. Le mouvement salafiste a une grande influence en Arabie Saoudite et utilise l'argent pour répandre son influence et ses enseignements dans le monde entier.

E   Le soufisme

Le soufisme est un courant mystique dans l'islam. Son origine remonte aux débuts de l'islam. Les adhérents sont appelés « soufis ». Le mot soufi vient du mot arabe *Suf* (laine), qui se réfère aux simples manteaux que les premiers ascètes musulmans portaient. Une autre suggestion est que *Sufi* vient du mot arabe *Safa* (pureté), et expliquerait pourquoi le soufisme met autant l'accent sur la pureté de l'âme et du cœur. Bien que les soufis croient dans le Coran et la Sunna, ils mettent davantage l'accent sur la vie intérieure, l'union mystique avec Dieu, que sur une obéissance extérieure à des devoirs religieux. Selon le soufisme, l'amour pour Dieu est la base de la religion. Nous devons aimer Dieu pour qui il est, et non pas pour les récompenses offertes, ou à cause de la peur de la punition. Dieu est souvent vu comme le bien-aimé éternel. Beaucoup de soufis recherchent l'union mystique ou la communication directe avec Dieu au travers de la danse et de la musique, de la récitation de versets coraniques et de poèmes islamiques, par lesquels ils cherchent à atteindre un état de transe.

F   L'islam populaire

Bien que ce ne soit pas vraiment un courant dans l'islam, nous ne pouvons ignorer l'importance de ce que nous appelons l'islam populaire. Dans la vie quotidienne de nombreux musulmans, les convictions orthodoxes se mélangent avec des pratiques qui trouvent probablement leur origine dans des temps préislamiques. Ces pratiques sont des coutumes autour de la naissance, la puberté, le mariage, les funérailles, etc. Elles ont pour but une protection contre le mauvais sort (que les musulmans appellent « le mauvais œil »). Quand une femme est stérile, certains recherchent le secours de saints musulmans décédés. Les rêves, prédictions, bénédictions et malédictions

TROISIÈME LEÇON **PARTAGER SA VIE**

jouent un rôle important dans la vie quotidienne de beaucoup de musulmans traditionnels.

8   La culture islamique et les coutumes

Si nous désirons développer une bonne relation avec les musulmans, il est important de connaître les coutumes et la culture islamiques. Bien sûr, nous ne pouvons pas toutes les décrire, car il y a beaucoup de différences d'un pays à l'autre. C'est pourquoi il est important de connaître l'arrière-plan culturel de notre ami musulman ainsi que ses coutumes. On peut lui demander de nous les expliquer. Ici nous n'allons que donner quelques aspects généraux auxquels la plupart des musulmans adhèrent.

A   Le calendrier islamique

Le calendrier islamique a débuté en 622 ap. J.-C. Une année consiste en 12 mois lunaires, ce qui est plus court d'environ 11 jours que notre année solaire. Les dates exactes des fêtes religieuses (ainsi que du jeûne durant le mois de Ramadan) ne peuvent être établies qu'au dernier moment, parce qu'elles dépendent de l'apparition de la lune. Par exemple, l'an 2014 après Jésus-Christ correspond à l'année 14351436 AH (Anno Hijrae, année de l'Hégire soir l'année où Mahomet a fui Mecque pour se rendre à Médine).

B   Les fêtes islamiques

Les musulmans disent que les fêtes ont lieu pour le plaisir de Dieu (Allah) et non pas pour leur propre plaisir. Il y a quand même des occasions de se réjouir. Les deux fêtes principales dans l'islam sont *'Id ul Fitr* et *'Id ul Adha*.

'Id ul Fitr commence le premier jour après le mois de Ramadan. Ce jour-là, après un mois de jeûne, les musulmans se rassemblent en congrégation pour prier, de préférence dans un lieu ouvert. Ils expriment leur reconnaissance à Allah pour leur avoir permis de respecter le jeûne. Une nourriture spéciale est préparée. La coutume veut que

l'on visite des amis et la famille élargie, et que ces moments soient spéciaux pour les enfants.

'Id ul Adha commence le 10ᵉ jour du mois de *Dhul Hijjah* et continue jusqu'au 13ᵉ jour. Cette célébration commémore la volonté d'Abraham, alors que Dieu lui avait demandé de sacrifier son propre fils Ismaël. Abraham a obéi et Allah en a été très content. Un bélier fut sacrifié à la place d'Ismaël sur l'ordre d'Allah. Les musulmans se rassemblent en congrégation pour prier et ils sacrifient des animaux tels que des moutons, des chèvres, des vaches et des chameaux. La viande de l'animal sacrifié est partagée entre les membres de la famille, les voisins et les pauvres.

Il existe d'autres célébrations, telles que le *Hijra* (la migration du Prophète), *Laylat al-Miradj* (Nuit de l'Ascension) et les dates des batailles islamiques. Il y a une nuit spéciale appelée *Laylat al-Qadr* (Nuit de la Puissance), une nuit impaire des 10 derniers jours de Ramadan. Le Coran dit de cette nuit qu'*« elle est mieux qu'un millier de mois »*. Les musulmans passent la nuit à prier et à réciter le Coran.

C   Alimentation

Le Coran encourage les musulmans à manger ce qui est bon et sain pour eux. Ils ont l'interdiction de manger certains aliments, tels que le porc, les animaux qui n'ont pas été abattus au nom d'Allah, le sang des animaux ou encore les animaux carnivores.

Les légumes et le poisson sont autorisés. La loi islamique requiert que les animaux soient abattus par un être humain avec un couteau aiguisé, qui pénètre le cou et permet qu'un maximum de sang puisse s'écouler. Le nom d'Allah doit être prononcé au moment de la mort. Enfin, toutes les boissons alcoolisées sont interdites.

D   Vêtements

Les musulmans doivent se vêtir décemment et modestement. Ils ne doivent pas porter un habit spécifique.

- Il est demandé aux hommes de se couvrir au moins depuis le nombril jusqu'aux genoux,
- et pour les femmes de se couvrir tout le corps, à l'exception du visage et des mains. Selon certains experts musulmans, les femmes pubères devraient se couvrir le visage lorsqu'elles sortent et/ou rencontrent des étrangers ;
- les hommes et les femmes ne doivent pas se vêtir de sorte à éveiller des désirs sexuels, par exemple en portant des habits transparents, moulants, ou des mini-jupes.
- Les hommes ne doivent pas porter de soie pure ni d'or.
- Les hommes ne doivent se vêtir d'habits féminins et vice-versa.
- Les habits symboliques d'autres religions ne sont pas autorisés.
- La simplicité et la modestie sont encouragées. Un habillement qui exprime l'arrogance n'est pas apprécié. Enfin, le style d'habillement dépend des coutumes locales et du climat.

> Discussion :
> 1. Les chrétiens peuvent-ils apprendre quelque chose des musulmans ?
>   Si oui, quoi ?
> 2. Mentionnez plusieurs des similarités et des différences entre les musulmans et les chrétiens.

9 Les principaux problèmes des musulmans avec les chrétiens et la foi chrétienne.

Lorsque les chrétiens commencent à nouer une relation avec des musulmans, ils découvrent que plusieurs éléments sont difficiles à comprendre pour un musulman au sujet de la foi chrétienne et des chrétiens. Nous pouvons résumer ces problématiques principales en trois catégories :

a) notre foi
b) notre histoire
c) notre morale

a   *Notre foi*

Les musulmans ne comprennent pas le concept de la Trinité et sont convaincus que les chrétiens croient en trois dieux. Comme nous l'avons vu précédemment, les musulmans mettent un accent particulier sur l'unicité de Dieu et ils considèrent que toute violation de ce principe est une offense très sérieuse.

Bien que les musulmans aient beaucoup de respect pour Jésus et le reconnaissent comme un prophète important, ils ne comprennent pas comment les chrétiens peuvent parler de Jésus comme étant le « Fils de Dieu ». Ils pensent que les chrétiens croient que Dieu le Père a eu une relation sexuelle avec Marie, et que Jésus est né de cette union. Cette pensée est inacceptable pour un musulman.

Parce que Dieu est tout-puissant et que Jésus est l'un des prophètes envoyés dans le monde, les musulmans ne peuvent pas comprendre que Dieu ait laissé Jésus être traité d'une manière si irrespectueuse, et qu'il ait été tué sur la croix. Le Coran déclare que Dieu prit Jésus au ciel, juste avant que les gens le crucifient, et qu'il le remplaça par une personne ayant l'apparence de Jésus qui, elle, fut crucifiée.

Beaucoup de musulmans ne comprennent pas comment les chrétiens peuvent croire que la Bible est infaillible, et qu'en même temps ils utilisent toute une variété de traductions de la Bible, tout en ne pouvant expliquer de manière cohérente les contradictions se trouvant dans la Bible.

b   *Notre histoire*

Au Moyen Âge les armées chrétiennes sont allées en Terre Sainte pour la purifier des influences païennes. C'est ainsi que ces armées tuèrent des milliers de personnes, dont de nombreux musulmans. Pour certains musulmans, les Croisades sont la version chrétienne du *jihad* (guerre sainte).

Du XVII au XX siècle, plusieurs nations chrétiennes (l'Espagne, le Portugal, l'Angleterre, la France et les Pays-Bas) étaient des puissances

TROISIÈME LEÇON — PARTAGER SA VIE

coloniales qui ont dominé plusieurs régions du monde (où vivaient de nombreux musulmans). Elles ont fait usage de la violence, des mensonges, du vol et de l'exploitation.

Les musulmans ne comprennent souvent pas pourquoi de nombreux chrétiens offrent leur soutien inconditionnel à Israël, qui utilise la violence pour atteindre ses buts.

Ils croient également que le monde occidental (qui est souvent perçu comme un synonyme de christianisme) se comporte comme s'il était supérieur au reste du monde en matière culturelle, politique, et économique, et se demandent pourquoi ce monde-là n'a pas le désir d'apprendre de la richesse d'autres cultures et pays.

c. *Notre morale*

Pour beaucoup de musulmans le monde occidental se comporte comme un policier qui essaie de forcer le reste du monde à respecter sa loi. Ils estiment que ce même monde occidental ne se rend pourtant pas compte de sa déchéance morale, qui se voit dans l'acceptation de l'homosexualité, la légalisation des drogues et de la prostitution, l'avortement et l'euthanasie active, la présence d'une forte violence domestique, un pourcentage de divorces élevé, et la diffusion de l'immoralité au travers des films et du tourisme.

> **Discussion :**
> 1. Quelle est votre première réaction à la façon dont les musulmans considèrent les chrétiens et le christianisme ?
> 2. Comment pouvons-nous répondre à ces problématiques ?

> **A FAIRE POUR LA PROCHAINE LEÇON**
> Écrivez au moins deux questions que vous aimeriez poser aux musulmans que vous allez rencontrer à la mosquée lors de la prochaine leçon.

QUATRIÈME LEÇON　　　　　　PARTAGER SA VIE

QUATRIÈME LEÇON :
RENCONTRE AVEC LES MUSULMANS

Objectif : Rencontrer des musulmans et leur poser des questions concernant leur foi et leurs pratiques religieuses.

Maintenant que nous avons examiné notre attitude concernant l'islam et les musulmans et que nous avons étudié quelques aspects importants de la foi et de la vie des musulmans, c'est le moment de les rencontrer et de discuter avec eux au sujet de leur foi. Nous avons appris que l'une des caractéristiques d'une attitude animée par la grâce est de voir l'islam comme eux le voient, et de s'abstenir de les caricaturer. La meilleure façon de connaître la foi des musulmans, leur pensée et leurs actions, c'est de discuter directement avec eux. D'après notre expérience, les musulmans sont généralement très ouverts au sujet de leur foi et d'en parler avec des chrétiens. Ils écoutent également ce que les chrétiens croient. C'est pourquoi nous aimerions utiliser cette quatrième leçon pour visiter une mosquée et rencontrer les musulmans qui s'y trouvent.

Quand vous visitez la mosquée, pensez à :

1. Vous habiller modestement (pas de shorts ou de T-shirts sans manches, valable pour les hommes et les femmes). Il est conseillé aux femmes de porter une robe ou une jupe ample, tombant en dessous du genou, et un chemisier à manches longues ou recouvrant simplement les coudes. Elles devraient se couvrir la tête (si vous n'avez pas de quoi le faire, la mosquée pourrait éventuellement fournir un voile). Les hommes devraient porter un pantalon long et une chemise avec manches.
2. Enlever vos chaussures à l'entrée de la mosquée.
3. Préparer à l'avance quelques questions que vous aimeriez poser.
4. Rester poli et respectueux quoi qu'il arrive, même lorsque vous entendez des choses qui ne vous plaisent pas ou que

PARTAGER SA VIE   QUATRIÈME LEÇON

quelqu'un essaie de vous convertir à l'islam. Vos hôtes vous présenteront certainement leur vérité d'une manière très optimiste, mais soyez conscients que vous feriez probablement la même chose si un groupe de musulmans visitait votre église !

5. Donner une réponse aussi personnelle que possible lorsque l'on vous pose des questions sur la foi chrétienne. Au lieu de dire « les chrétiens pensent que la prière est très importante », expliquez comment vous priez vous-même quotidiennement.

6. Le but de cette visite n'est pas de convertir les musulmans que vous rencontrez, mais d'apprendre d'eux. Cependant, si vous avez une occasion de faire part de votre foi de manière respectueuse, faites-le.

A faire après la visite de la mosquée :

1. Qu'avez-vous appris lors de votre visite à la mosquée ?
2. **Lisez Actes 10 et réfléchissez à la relation entre Pierre et Corneille. Comparez Corneille avec les musulmans que vous avez rencontrés :**
   - a. Croyez-vous que Dieu entende les prières de ces musulmans ? Que pensez-vous qu'il se passe quand ils prient ?
   - b. Pierre a appris une leçon importante de la part de Corneille. Qu'avez-vous appris des musulmans que vous avez rencontrés ?
   - c. Qu'est-ce qui, dans la foi des musulmans, vous plaît le plus ?
   - d. Corneille n'a eu besoin que d'une vision pour obéir. Pierre a eu besoin de trois visions. Connaissez-vous d'autres situations où des chrétiens sont moins réceptifs sur ce que Dieu leur dit que des gens extérieurs à l'Église ?

CINQUIÈME LEÇON   PARTAGER SA VIE

CINQUIÈME LEÇON :
CONSTRUIRE DES RELATIONS QUI DURENT

Objectif : Apprendre à être un témoin vivant auprès des musulmans, et partager notre vie avec eux.

> **Activité :**
> Discutez de votre visite à la mosquée et des devoirs effectués ensuite.

Maintenant que nous avons discuté de notre attitude envers l'islam et les musulmans, que nous avons étudié la foi et la vie des musulmans, et que nous avons pu les rencontrer, il est temps de voir comment nous pouvons véritablement partager notre vie avec des musulmans, et, dans ce contexte-là, leur faire part de notre foi en Jésus-Christ. C'est le sujet de la cinquième et dernière leçon de ce cours.

A   L'incarnation de Jésus : un modèle pour nous

Dans Jean 1.14, nous lisons que *« la Parole a été faite chair et elle a habité parmi nous »*. C'est une référence à l'incarnation de Jésus, qui est le modèle par excellence pour le ministère des chrétiens dans ce monde. Nous devrions suivre l'exemple de Jésus. Il se fit serviteur et est devenu semblable aux hommes (Philippiens 2.5-8). L'apôtre Paul, dans 1 Corinthiens 9.19-23, montre qu'il était prêt à se rendre esclave de tous, afin d'en gagner le plus grand nombre.

Il écrit ceci concernant son ministère à Thessalonique :

« Nous aurions voulu, dans notre tendresse pour vous, vous donner non seulement la bonne nouvelle de Dieu, mais encore notre propre vie, tant vous nous étiez devenus chers. » (1 Thessaloniciens 2.8)

Ce verset montre la façon dont l'apôtre Paul vivait son ministère dans la ville de Thessalonique. Son équipe et lui portaient un amour sincère pour les gens avec lesquels ils partageaient l'Évangile. Ils ne se sont

PARTAGER SA VIE   CINQUIÈME LEÇON

pas contentés de délivrer un message, mais se sont donnés eux-mêmes. Un commentateur biblique explique :

« Un vrai missionnaire n'est pas un spécialiste pour transmettre un message, mais une personne dont l'être entier reflète un message qui est communiqué à ceux qu'il rencontre. »

Dans son épître, Paul mentionne neuf fois « vous savez », se référant au fait que les gens de Thessalonique avaient pu observer sa vie de près.

Nous devons intégrer « le dire et le faire », la proclamation et l'incarnation. Un des concepts importants dans la Bible est le royaume de Dieu. Le plan rédempteur de Dieu est qu'Il soit glorifié en unissant toutes choses sous l'autorité de Christ, et cela inclut non seulement la réconciliation de Son peuple, mais la réconciliation de tout *« ce qui est dans les cieux comme ce qui est sur la terre »* (Éphésiens 1.10). Cette réconciliation trouvera son accomplissement final dans le royaume de Dieu à venir. Cependant des prémices de ce futur royaume peuvent être vécues dans le présent. L'Église ne doit pas juste proclamer l'évangile du royaume (Matthieu 24.14), mais être porteuse de la vie du royaume (Matthieu 5-7) et en accomplir les œuvres.

En appliquant ces principes dans notre relation avec les musulmans, nous apprenons cinq choses :

    a   L'évangélisation est avant tout un style de vie, non une activité. Ce n'est pas quelque chose que nous faisons, mais il s'agit de ce que nous sommes.

    b   L'annonce de l'évangile doit être accompagnée par sa mise en pratique dans la vie de la personne, et doit également rejoindre les besoins sociaux qui résultent d'une relation brisée avec le Seigneur.

    c   La vie des croyants doit être en accord avec le contenu du message.

    d   Pour que les musulmans aient une compréhension juste de Jésus-Christ et de la foi biblique, ils ont besoin de voir cette foi

CINQUIÈME LEÇON   PARTAGER SA VIE

vécue dans la vie des gens qu'ils connaissent et en qui ils ont confiance.

e   Pour que les chrétiens puissent véritablement incarner la vérité de l'Évangile pour leurs amis musulmans, ils ont besoin de les connaître et les comprendre, ceci dans un contexte relationnel d'amour et de confiance.

Pour que cela puisse se vivre, une proximité entre chrétiens et musulmans est nécessaire.

> **Discussion :**
> a   Que se passerait-il si chaque musulman de notre pays avait au moins un ami chrétien ?
> b   Qu'est-ce qu'un témoignage incarné et centré sur la relation ?

Dans son livre *Distinctly Welcoming*, Richard Sudworth écrit que : « *Ce qui nous rend différent n'est pas seulement ce que nous croyons, mais la façon dont notre croyance motive et influence notre attitude. Ce qui nous rend différent est la façon dont notre foi transforme notre manière de vivre.* »

Bien que la théologie chrétienne soit différente de la théologie islamique, la grande majorité des musulmans reconnaîtra cette différence quand elle la verra se manifester dans notre attitude.

Nous avons vu précédemment que ce que Jonas savait de Dieu n'a pas transformé son comportement. Il aurait pu avoir une discussion sur le concept de la grâce et du pardon avec les gens de Ninive, mais il n'était pas prêt à leur montrer cette grâce par sa propre vie.

Argumenter simplement sur des croyances ne convainc que rarement les gens de la validité de ces croyances. Les voir en action fait toute la différence.

Jésus n'a pratiquement pas argumenté avec les dirigeants de l'époque au sujet du royaume de Dieu ; il a démontré le royaume de Dieu et a expliqué comment le comprendre et comment le vivre. Nous devons faire de même.

Un témoignage vivant dans nos relations peut aussi être dénommé « évangélisation par l'amitié ». C'est une approche personnelle et/ou relationnelle : entre deux personnes, ou avec une famille, mais pas dans un contexte de groupe, ceci pour permettre de construire une vraie relation. Faire part de notre foi aux musulmans devrait idéalement s'inscrire dans une relation d'amour, de confiance et de respect. Cela prend du temps de développer de telles relations et va beaucoup plus loin qu'une bonne discussion avec un étranger concernant la foi chrétienne et l'islam. Parmi d'autres choses, cela signifie passer du temps ensemble, faire des activités ensemble, s'intéresser à la vie de l'autre, partager nos joies et nos peines, devenir de bons amis dans le vrai sens du terme.

Cela veut dire partager toute notre vie et pas seulement l'Évangile.

Lorsque nous nous soucions sincèrement de l'autre, nous avons beaucoup d'occasions de transmettre des vérités bibliques ; pas de manière abstraite, sans connexion relationnelle, mais comme faisant partie de notre vie quotidienne. Nous pouvons communiquer notre foi avec les musulmans de manière naturelle, tant en paroles qu'en actions, tout en vivant notre vie quotidienne. Il y aura alors des échanges dans les conversations où nous pourrons énoncer des vérités chrétiennes, et prier avec ou pour notre ami(e). Ils nous verront également pratiquer notre foi (jeûner, prier, célébrer Noël, la façon dont nous gérons les conflits, les finances, la façon dont nous nous comportons en famille, etc.).

Nos amis musulmans vont observer dans notre vie quotidienne l'œuvre salvatrice et la puissance de Jésus. La plupart des musulmans parviennent à un amour et à un désir sincère de connaître l'Évangile en voyant des croyants vivre leur vie chrétienne d'une manière authentique, dans les joies et dans les peines, ayant une attitude de serviteur, humble et fidèle.

CINQUIÈME LEÇON   PARTAGER SA VIE

Il peut également y avoir des temps de confrontations quand des questions difficiles sont posées, mais en tant qu'amis nous savons comment exprimer notre désaccord d'une manière appropriée.

Un témoignage vivant a un prix et peut engendrer de la souffrance, comme nous le voyons dans la vie de Jésus qui a souffert, et même jusqu'à la mort.

Il n'est pas possible de programmer le nombre de fois que vous allez annoncer l'Évangile, mais alors que nous nous soucions des gens qui n'ont pas encore entendu parler de Christ, nous prions tout autant Dieu qu'il vous aide à savoir quand parler, quand écouter, et comment être sensible aux besoins et croyances de votre ami(e). Vous apprendrez également à être plus franc concernant votre foi, et plus pointu alors que vous parlez de la façon dont Dieu se préoccupe des choix que vous faites, des réponses que vous donnez, etc.

Dans la Bible, nous lisons qu'André a amené son frère Pierre à Jésus, et que Philippe a amené son ami Nathanaël à Jésus. On peut également décrire l'évangélisation comme l'acte d'amener nos amis à rencontrer notre meilleur ami : Jésus. Tout en étant des témoins vivants, nous aimerions que nos amis musulmans puissent rencontrer Jésus, notre meilleur ami, et que celui-ci puisse devenir leur Seigneur et meilleur ami.

Discussion :
1. « Argumenter simplement sur des croyances ne convainc que rarement les gens de la validité de ces croyances. Les voir en action fait toute la différence. »
   Expliquez pourquoi vous êtes d'accord, ou non, avec cette phrase.
2. Dans 1 Corinthiens 9.19-23 Paul explique qu'il s'est fait le serviteur de tous afin d'en gagner le plus grand nombre. Comment pouvons-nous appliquer ce principe dans nos relations avec les musulmans ?

B   Établir naturellement des contacts avec des musulmans

Au temps de Jésus, les juifs et les samaritains vivaient dans le même pays, mais nous lisons que *« Les juifs, en effet, évitaient toutes relations avec les samaritains. »* (Jean 4.9). Nous pourrions dire la même chose pour les musulmans et les chrétiens dans notre pays, notre ville, ou notre rue. Il est possible que ce cours vous ait encouragé à nouer une relation d'amitié avec un(e) musulman(e). Mais alors la question qui se pose est : par où commencer ?

Pour ce faire nous aimerions vous donner quelques suggestions pratiques :

1. Faites du bénévolat dans les structures près de chez vous, parmi les réfugiés, les centres de requérants d'asile, etc.
2. Contactez des membres de la mosquée locale ou d'un centre islamique et rencontrez-les. Vous pouvez leur demander si vous pouvez leur rendre des services, ou s'il y a des activités auxquelles vous ou votre église pouvez prendre part. Vous pouvez également les inviter pour une rencontre dans votre église.
3. Vous pouvez organiser une soirée sympa avec vos voisins musulmans pour apprendre à mieux vous connaître ; chacun apportera de la nourriture, des habits ou de la musique de la culture qu'il représente.
4. Demandez aux musulmans de votre quartier s'ils ont des besoins particuliers, pour lesquels vous pourriez ensuite prier.
5. Apprenez quelques expressions de base dans leur langue (arabe, turc, albanais, ou quelle que soit la langue parlée par les musulmans de votre région) et saluez-les dans leur langue quand vous les croisez.
6. À Pâques ou à Noël, préparez des cadeaux spéciaux que vous pouvez donner à vos voisins musulmans, afin de célébrer ces fêtes avec eux.

CINQUIÈME LEÇON PARTAGER SA VIE

7. Fréquentez leurs magasins et leurs enseignes (boulangerie marocaine, magasin d'alimentation turc, coiffeuse musulmane, etc.) et parlez aux gens que vous rencontrez.
8. Cherchez à connaître les besoins sociaux spécifiques qu'il y a parmi vos voisins musulmans et essayez d'y répondre (cours de français, activités sportives, soutien scolaire, cours d'informatique, de couture, etc.).
9. Participez aux activités qui s'adressent aux musulmans de votre ville.
10. Asseyez-vous à côté d'eux dans le bus ou le métro et parlez-leur.
11. Cherchez à participer avec eux à des projets communautaires.
12. Cherchez des moyens d'aider vos voisins musulmans d'une manière pratique.
13. Visitez des sites Internet musulmans et chattez avec eux sur leurs forums.
14. Rejoignez-les quand ils s'asseyent ensemble au parc ou à la plage.

Ce n'est pas une liste exhaustive, mais quelques exemples qui peuvent être complétés par d'autres. L'idée principale est de trouver des moyens d'établir de manière naturelle des contacts avec les musulmans de votre ville, de votre rue, de votre immeuble, etc.

C À faire et à ne pas faire dans nos relations avec les musulmans

Comme mentionné précédemment, le témoignage chrétien le plus efficace est celui qui se produit naturellement lorsque des musulmans et des chrétiens se rencontrent. Il n'est pas possible d'apprendre à l'avance ce qu'il faudra dire et faire, comment répondre et se comporter dans les différentes situations qui se présentent. Nous pouvons néanmoins vous donner quelques conseils pratiques :

PARTAGER SA VIE   **CINQUIÈME LEÇON**

i   Soyez conscients de la différence entre les sexes (un homme ne devrait pas serrer la main à une femme, ni rendre visite à une femme seule dans sa maison).

ii   Faites usage de votre Bible avec respect (ne pas la souligner, ne pas la poser par terre, ne pas y rajouter de nombreux papiers).

iii   N'offrez jamais de porc ou d'alcool à votre ami musulman. Les musulmans stricts ne mangent que de la viande *halal*, c'est-à-dire qui a été tuée selon le rituel musulman adéquat, en invoquant le nom d'Allah.

iv   Priez régulièrement pour votre ami musulman. Vous pouvez également lui demander des sujets de prière particuliers.

v   Soyez prêts à parler de tout et de rien, et pas seulement de sujets religieux. Soyez ouverts concernant votre foi, reliez-là à votre vie quotidienne.

vi   N'attaquez pas l'islam, les pratiques islamiques, Mahomet. Soyez prudents lorsque vous critiquez l'islam. Jésus nous dit de ne pas chercher la paille dans l'œil d'un autre et ne pas s'occuper de la poutre qui se trouve dans le nôtre. (Matthieu 7 :1-5). Dépeindre les autres en noir ne vous rend pas blanc pour autant...

vii   Ne commencez pas une dispute ou un débat inutile (considérez l'avertissement de Paul dans 2 Timothée 2.23-24 concernant les d ébats insensés).

viii   Lorsque vous vous trouvez en désaccord, ne forcez pas le sujet, laissez la porte ouverte pour une prochaine visite/opportunité/conversation. Le but n'est pas de gagner la dispute.

ix   Faites tout ce que vous pouvez pour éliminer les incompréhensions sur la foi chrétienne, et soyez prêts à admettre les fautes et les crimes commis par des chrétiens dans le passé et le présent.

x   Utilisez des histoires, des exemples et votre témoignage personnel (pas seulement sur votre conversion, mais aussi la façon

CINQUIÈME LEÇON   PARTAGER SA VIE

dont Dieu répond à vos prières, vous a donné un verset encourageant, vous a guidé dans une telle situation, etc.) pour expliquer les vérités bibliques. C'est mieux de dire : « Je crois que… » ou « c'est ma conviction que… » ou « je crois que la Bible enseigne ceci… », plutôt qu'une remarque plus générale comme « la Bible enseigne que… », ou « les chrétiens croient que… ».

xi Mettez en pratique vos paroles. La partie la plus difficile mais la plus significative de l'évangélisation est d'être nous-mêmes un exemple et une illustration du message verbal que nous annonçons.

xii Soyez vous-mêmes. C'est ce qui va le plus vous aider !

D   Un exemple de rencontre

« Au bout de trois jours, ils le trouvèrent dans le temple, <u>assis au milieu des maîtres</u>, les <u>écoutant</u> et les <u>interrogeant</u>. Tous ceux qui l'entendaient étaient stupéfaits de son <u>intelligence</u> et de ses <u>réponses</u>. » (Luc 2. 46-47)

Nous sommes appelés à ressembler à Christ dans nos relations. Les versets ci-dessus rapportent l'événement où Jésus se trouvait dans le temple à l'âge de 12 ans. C'est Luc qui rapporte ces faits. Colin Chapman, dans son livre *La croix et le croissant*, voit dans cet épisode un bon modèle d'une rencontre sincère avec des musulmans. L'auteur mentionne les cinq points suivants :

Asseyez-vous parmi eux

Jésus s'est assis parmi les enseignants. Comment est-ce que les chrétiens peuvent s'asseoir parmi les musulmans ? En leur rendant visite dans leurs maisons, en passant du temps avec eux, en visitant une mosquée, un centre culturel islamique, un groupe d'étudiants, etc. Nous devons rechercher des moyens naturels d'entrer en contact. Jusqu'à quel point connaissons-nous la communauté à laquelle ils appartiennent, ainsi que leur histoire et leur culture ? Savons-nous ce que cela signifie d'être « dans leurs souliers » ? Sommes-nous conscients de la manière dont ils nous perçoivent en tant que personnes ?

PARTAGER SA VIE   CINQUIÈME LEÇON

Écoutez
Jésus écoutait les enseignants. Comment est-ce que les chrétiens peuvent apprendre à écouter les musulmans ? En ayant un désir sincère de les connaître et d'apprendre d'eux. En étant attentifs à la façon dont ils expriment leur foi, au lieu de n'écouter que ce qui se dit dans les médias. Cela signifie que nous cherchons à connaître leur monde, leur arrière-plan, que nous apprenons à voir le monde comme eux le voient. La Bible dit clairement que « *l'homme qui écoute pourra toujours parler* » (Proverbes 21.28).

Posez des questions
Jésus a posé des questions. Lorsque nous avons fait les deux premières étapes, nous sommes dans une bonne position pour poser des questions sans que les musulmans ne voient une menace dans ces interrogations. Nous pourrions commencer avec des questions de base, mais également en questionnant gentiment certaines de leurs croyances. Nous ne désirons pas embarrasser notre ami musulman, mais nous cherchons à créer un vrai dialogue.

Comprenez
Les enseignants ont vu que Jésus les comprenait. Les réponses à nos questions nous conduiront à une meilleure compréhension de l'islam dans la vie de notre ami musulman, et pas seulement tel qu'il est décrit dans les livres. Cette compréhension nous permet également de discerner les points importants et de ne pas nous perdre dans des considérations secondaires ni des discussions inutiles.

Répondez
Jésus a répondu aux questions des enseignants. Quand les musulmans voient que nous les comprenons, ils commenceront à nous poser des questions sur notre foi. À ce stade nous répondrons à des questions sincères de la part de nos amis musulmans et pas seulement aux questions qu'ils pensent devoir poser. C'est là que nous avons gagné le droit de parler, et de répondre avec une même sincérité à ces questions.

CINQUIÈME LEÇON   PARTAGER SA VIE

> **Activité :**
> Demandez au Seigneur de vous diriger vers un(e) musulman(e), avec lequel/laquelle il désire que vous construisiez une relation, au travers de laquelle vous pourrez faire part de votre foi en Christ.

Conclusion

Le cours *Partager sa vie* est terminé. Pour des questions ou des informations supplémentaires, vous pouvez écrire à info@sharinglives.eu

Pour d'autres ressources, telles que livres, DVD et contact, vous pouvez visiter le site Internet : www.sharinglives.eu

APPENDIX

Ressources pour ceux qui veulent en savoir plus[7]

Il existe de plus en plus de livres recommandables et de DVDs pour vous aider à mieux comprendre vos amis musulmans et d'être des témoins parmi eux. Quelques exemples sont listés ci-dessous.

1. En Français

L'ABC de l'islam
Andreas Maurer

Ce livre répond à de nombreuses questions sur l'islam et les musulmans. Un bon ouvrage de référence, qui vous donnera également des idées de discussions avec vos amis musulmans, des réflexions et des défis.

Femmes musulmanes
Miriam Adeney

Dans *Femmes musulmanes*, Miriam Adeney vous présente des femmes telles que Ladan, Khadija et Fatma. Vous en saurez plus sur leurs vies, leurs questions, leurs espoirs. Vous apprendrez qu'elles sont représentatives de leurs sœurs arabes, iraniennes, d'Asie du sud-est ou d'Afrique, et qu'elles ont en même temps une histoire bien à elles. Vous découvrirez également ce qui les a attirées à Christ. Alors que vous entrerez dans le monde de Ladan, Khadija et Fatma, vous comprendrez mieux comment établir une relation avec d'autres femmes musulmanes et les aider à venir Jésus.

---

[7] Le fait que nous recommandions ces livres ne veut pas dire que nous sommes d'accord avec l'ensemble du contenu.

Au-delà du rêve (DVD)

Ce DVD contient cinq histoires vraies d'anciens musulmans qui ont accueilli Jésus comme leur Sauveur. Ces récits se déroulent en Égypte, en Iran, en Turquie, au Nigéria et en Indonésie. *Au-delà du rêve* a recréé ces parcours, et ils sont racontés dans leur langue originale. Ce DVD contient une partie qui explique ce que signifie suivre Jésus et comment être sauvé par lui.

Jésus et Mahomet
Mark A. Gabriel

Mark A. Gabriel est un ancien musulman qui était professeur à l'Université Al-Azhar du Caire. Il compare dans ce livre Jésus et Mahomet dans leur façon de vivre et leurs enseignements dans différents domaines de la vie. Il donne aux chrétiens la possibilité de découvrir ce que le Coran dit de Jésus, et d'utiliser cela comme un pont dans les contacts avec les musulmans.

La Foi à l'Epreuve
Chawkat Moucarry

Dans ce livre, plus académique, Chawkat Moucarry fait l'apologétique des sujets de tensions entre chrétiens et musulmans, tels Jésus qui est le Fils de Dieu et qui est mort crucifié à la croix. Il parle aussi de la Bible que les musulmans croient falsifiée. C'est un excellent ouvrage pour aider les chrétiens à répondre à ces questions difficiles. Chawkat Moucarry base ses réponses sur le Coran et sur la Bible.

2. En Anglais

Inside Islam (DVD)

"Inside Islam" est un documentaire datant de 2002 et donne une bonne introduction à l'islam. On compte parmi les sujets abordés, les liens entre judaïsme et christianisme, la vie de Mahomet, les Cinq piliers de l'islam (la profession de foi, la prière, la charité, le jeûne durant le Ramadan et le pèlerinage à la Mecque), l'Histoire de l'islam, les femmes dans l'islam, le colonialisme européen, l'islamisme, la Nation de l'Islam et le Djihad.

Cross and Crescent: responding to the challenge of Islam
Colin Chapman

Ce livre nous met au défi d'examiner notre propre comportement, et pour cela, Colin Chapman prend en considération les problèmes dans la manière dont les chrétiens s'entretiennent avec les musulmans et l'islam. Il montre comment les chrétiens peuvent être des témoins efficaces de Jésus. Ce livre contient aussi les chapitres suivant : « Le terrorisme islamique », « Qu'est-ce que l'islam », « La vision coranique des chrétiens » et « Expliquer les croyances chrétiennes au sujet de Jésus ». Il équipe les chrétiens à mieux comprendre les musulmans et l'islam dans un monde aux changements rapides et incessants.

Grace for Muslims? The journey from fear to faith
Steve Bell

« Pourquoi une religion en apparence sans défense feraient de certains des *démons* ? », fut la question d'un journaliste musulman. Il s'agit d'une question se trouvant au cœur du débat islamique. Des propos alarmants sont émis au sujet de ces « démons », alors que la possibilité d'un islam pacifique est écartée. Beaucoup sont troublés face aux aspects contradictoires de cette religion. Est-il possible pour les chrétiens de comprendre les musulmans sans être naïfs politiquement ou libéraux sur le plan religieux ? Steve croit que oui. Il partage son propre parcours et explique comment il est parvenu à atteindre un ingrédient essentiel : la grâce.

Encountering the world of Islam
Keith Swartley (editor)

« Encountering the World of Islam » est un ouvrage scolaire regroupant des articles de 80 auteurs ayant vécu à travers le monde musulman – vous découvrirez la vie de musulmans de l'autre bout du monde à de votre propre voisinage. A travers cette collection d'articles, vous en apprendrez au sujet de Mahomet et de l'Histoire de l'islam, vous comprendrez plus en détail les conflits actuels et verrez outre les mythes et craintes occidentaux au sujet de l'islam. Vous découvrirez également les frustrations et les désirs des musulmans, et vous apprendrez à prier pour eux et à devenir leurs amis. Ce livre apporte une perspective positive, équilibrée et biblique sur le cœur de Dieu pour les musulmans, et vous donnera les outils pour aller à leur rencontre avec l'amour de Christ.

The Crescent through the Eyes of the Cross
Nabeel T. Jabbour

Dans ce livre, l'auteur (un chrétien d'origine arabe) cherche à aider le lecteur à comprendre et développer sa compassion pour les musulmans, à travers le récit fictif d'Ahmad, un de ses amis musulman. On nous donne aussi des nouvelles sur le père et la sœur d'Ahmad en Egypte. De la bouche d'Ahmad et de sa famille, l'auteur traite de différents aspects de la perspective islamique du monde, un sujet que tout chrétien souhaitant partager la Bonne Nouvelle devrait comprendre. Cela comprend : la relation entre Jésus Christ, Mahomet, le Coran et la Bible, le rôle d'Israël, les différences culturelles, la place de la femme, l'Histoire occidentale « chrétienne » des croisades et du colonialisme, contextualiser notre message, et intégrer les individus avec un arrière-plan musulman à l'Eglise.

APPENDIX PARTAGER SA VIE

Waging Peace on Islam
Christine A. Mallouhi

Comment les chrétiens peuvent-ils se confronter à l'islam ? Alors que les relations entre l'islam et l'occident sont de plus en plus opposées, beaucoup de chrétiens sont anxieux à l'idée de rencontrer des musulmans. Comment pouvons-nous surmonter des années voire des siècles d'incompréhension ? Christine Mallouhi, dont le mari est de famille musulmane et qui a vécu une grande partie de sa vie dans le Moyen-Orient, propose que nous vivions la prière de Saint François d'Assise, qui, à l'époque des Croisades, s'est installé parmi les musulmans et a même partagé l'Evangile au Sultan.

The Costly Call
Emir Fethi Caner and H. Edward Pruitt

Vingt-et-unes histoires contemporaines de musulmans de différentes régions du monde ayant rencontré Jésus.

Daughters of Islam – Building Bridges with Muslim Women
M. Adeney

Dans *Daughters of Islam*, Miriam Adeney vous présente à des femmes telles que Ladan, Khadija et Fatma. Vous découvrirez leurs vies, leurs questions et espoirs. Vous verrez comment elles sont à la fois des exemples représentatifs et à part entière parmi leurs sœurs arabes, iraniennes, asiatiques et africaines. Vous découvrirez ce qui les a amenés à Christ. Alors que vous explorez leurs vies, vous apprendrez comment vous adresser à d'autres femmes d'arrières plans musulmans, et comment les introduire à Christ.

The World of Islam (CD)

The World of Islam CD-ROM contient 39 livres complets ainsi que de nombreux articles sur l'islam et le témoin chrétien, y compris un dictionnaire de 750 pages au sujet de l'islam, d'articles de contextualisation et des racines du fondamentalisme et du militantisme musulman. Dix nouvelles cartes mises à jour montrent la situation actuelle du monde musulman. Ayez également accès à plus de plus de 100 photos du monde musulman à imprimer, huit études sur l'islam par des experts reconnus, une bibliographie annotée, des liens vers des sites internet abordant le sujet de l'islam et bien plus encore, soit plus de 12 000 pages de ressources !

More than dreams (DVD)

Il s'agit d'un documentaire au format DVD contenant l'histoire vraie de cinq anciens musulmans ayant rencontré Jésus comme leur Sauveur. Des histoires ont été sélectionnées d'Egypte, de l'Iran, de Turquie, du Nigeria et d'Indonésie. *More than dreams* met en scène ces rencontres, chacune étant présentée dans sa langue originelle. Le DVD présenté aussi ce que cela signifie de suivre Jésus, et conduisent les spectateurs à faire la prière du salut.

Présentations des partenaires

Opération Mobilisation (OM)

OM est une œuvre internationale de mission et d'entraide. Cette organisation compte plus de 5'500 collaborateurs actifs dans plus de 110 pays et sur un navire sillonnant les mers du globe. En Suisse, OM compte une vingtaine de collaborateurs.

Notre engagement:
Encourager et soutenir les églises afin qu'elles partagent l'amour de Dieu avec tout être humain dans le monde entier. Nous efforcer d'apporter formation, entraide et espoir dans de nombreux pays du globe. Depuis plus que 50 ans, OM travaille aussi parmi notre prochain musulman dans les régions du Moyen-Orient, d'Afrique du Nord, d'Asie Central et d'Europe. Les moyens sont nombreux dont voici quelques exemples : distribuer de la littérature dans des villages de montagne, visiter la population durant le mois du ramadan, organiser du sport avec les ados ou fraterniser autour d'une tasse de thé en nouant des amitiés. Les populations de ces régions sont très ouvertes et chaleureuses. La moisson du Seigneur est grande. Merci de prier pour que le Seigneur envoie davantage d'ouvriers dans ces régions

OM Suisse
Case Postale 148
2016 Cortaillod
032 841 7550
Info.ch@om.org
www.omsuisse.ch

PARTAGER SA VIE   Présentations des partenaires

Agape Mosaïque (Campus pour Christ, CpC)

Les buts d'Agape Mosaïque sont :

- Développer un ministère direct auprès des femmes musulmanes de la région Lausannoise.
- Encourager les chrétiens Suisses dans leur témoignage auprès de leurs voisins musulmans par des enseignements pertinents.
- Mettre à disposition des chrétiens du matériel d'évangélisation et de formation spécifique pour le public cible musulman.

Agape Mosaïque développe plusieurs projets, tels «Amies d'Aisha », dont le but est d'équipe les femmes pour le témoignage auprès des musulmanes, « Fleurs du Désert », lieu d'accueil à Renens pour les femmes musulmanes, et le cours « Partager sa Vie ». Agape Mosaïque est à la disposition des églises pour des enseignements sur l'islam, et les accompagner dans une réflexion pour atteindre les musulmans de leur voisinage.

Agape Mosaïque
Campus pour Christ
Av. Provence 4
1007 Lausanne
021 625 8031
mosaique@cfc.ch

www.ingramcontent.com/pod-product-compliance
Lightning Source LLC
Chambersburg PA
CBHW071735040426
42446CB00012B/2372